Dringo'r
&
Gwymon y Môr

Eluned Morgan

Golygiad newydd gan

CERIDWEN LLOYD-MORGAN
&
KATHRYN HUGHES

CLASURON HONNO

Cyhoeddwyd gan Honno
'Ailsa Craig', Heol y Cawl, Dinas Powys,
Bro Morgannwg, CF6 4AH

Argraffwyd *Dringo'r Andes* am y tro cyntaf yn 1904 a *Gwymon y Môr*
yn 1909 gan y Brodyr Owen, Heol Nevill, y Fenni.

Cyhoeddwyd yr argraffiad diwygiedig hwn gan Honno, 2001

ISBN: 1 870206 45 2

Cyhoeddwyd gyda chymorth Cyngor Celfyddydau Cymru.

Llun y clawr: Eluned Morgan gyda'i mam a'i nith.
Atgynhyrchir y llun hwn a'r lluniau eraill yn y gyfrol
drwy garedigrwydd Llyfrgell Genedlaethol Cymru.

Cysodydd a chynllunydd y clawr: Enfys Beynon Jenkins

Argraffwyr: Y Lolfa, Talybont

Cynnwys

Dosbarth ysgol '16 de Octubre'; plant y Cymry a'r Indiaid gyda'i gilydd.

Rhagymadrodd

Yn ei chyfnod, fel y cydnabu Saunders Lewis, 'ni chafodd ein rhyddiaith bersonoliaeth hynotach na chyfoethocach nag Eluned Morgan.'[1] Nid oes yr un awdur Cymraeg arall y gellir ei chymharu â hi. Mae a wnelo hyn nid yn unig â'i chefndir anarferol fel merch o'r Wladfa Gymraeg, ond hefyd â'r bersonoliaeth gref a chymhleth a adlewyrchir yn ei gwaith. Cymraes a berthynai i ddau fyd oedd Eluned, ac fe'i ganed i deulu arbennig ar ganol antur fawr yn hanes cenedlaetholdeb y Cymry.

Ganed Eluned Morganed Jones ar 20 Mawrth 1870 yn ferch i Lewis Jones, un o arloeswyr y Wladfa Gymraeg ym Mhatagonia, a'i wraig Ellen Griffith, ym Mae Vizcaya, ar fwrdd llong o'r enw *Myfanwy* yn hwylio i Batagonia. Ymfalchïai yn yr amgylchiadau rhamantaidd hyn a goffawyd gan ei henw, ond ar ôl rhai blynyddoedd, penderfynodd newid ei henw i'r ffurf symlach, Eluned Morgan. Merch Lewis Jones oedd hi i Gymru ac i'r Wladfa fel ei gilydd, a heb amheuaeth, ei thad oedd y prif ddylanwad arni trwy gydol ei bywyd.

Cafodd ei haddysg gyntaf yn nhref Rawson, mewn ysgol go gyntefig a ddechreuwyd mewn caban wedi ei achub o long a ddrylliwyd, ond a symudwyd yn nes ymlaen i adeilad o frics. Prin iawn oedd yr adnoddau yno:

> Tipyn o feinciau anghelfydd a thrwstan oedd gennym, ac os caem ddarn go fawr o lechen i ysgrifennu arni teimlem ein bod yn rhywun go bwysig. Nid oedd gennym yr un llyfr ond y Beibl...[2]

Uniaith Gymraeg oedd yr ysgol, ond mae'n debyg nad oedd Lewis Jones yn fodlon ar y safon, ac anfonwyd yr eneth ifanc i

---

[1] *Ysgrifau Dydd Mercher* (Llandysul, 1945), t. 85.
[2] R. Bryn Williams, *Eluned Morgan. Bywgraffiad a Detholiad* (Llandysul, 1948), t. 14. Ni ddiweddarwyd yr orgraff yn y dyfyniad hwn na'r dyfyniadau eraill.

i

dreulio blwyddyn yn astudio ym mhrifddinas yr Ariannin, Buenos Aires. Sicrhaodd Lewis Jones fod ei ferch yn medru rhywfaint o Saesneg a Sbaeneg. Yn wir, roedd y mwyafrif o'r ymfudwyr cyntaf i'r Wladfa yn ddwyieithog neu yn uniaith Gymraeg, ond roedd modd byw bywyd cymdeithasol llawn a gweithredu'n effeithiol ym myd busnes heb ond ychydig o eiriau o Sbaeneg, yr iaith swyddogol. Llwyddodd arweinwyr yr ymfudwyr, dynion fel Lewis Jones a John Murray Thomas, a oedd yn rhugl ar lafar ac yn ysgrifenedig yn y tair iaith, i weithredu ar ran eu cymuned yn wleidyddol ac yn fasnachol, yn genedlaethol ac yn rhyngwladol. Etifedd diwylliannol Lewis oedd Eluned a threfnwyd addysg addas iddi i'w pharatoi ar gyfer y cyfrifoldebau i ddod.

Ym 1885, a hithau bellach yn bymtheg oed, croesodd Eluned Fôr Iwerydd am y tro cyntaf ers ei geni, er mwyn mynychu Ysgol Dr Williams, Dolgellau, ysgol breswyl a oedd yn Seisnigaidd iawn, er gwaethaf ei henw a'i lleoliad, ac wedi'i phatrymu ar ysgolion preifat Lloegr. Treuliodd Eluned dair blynedd i gyd yn yr ysgol yng Nghymru. Oherwydd diffygion ei haddysg yn y Wladfa, cafodd Eluned ei hun yn destun gwawd am ei hanwybodaeth.[3] Ond nid honno oedd ei hunig anfantais. O gofio mai'r awydd i greu cymdeithas Gymraeg yn bell o ormes y Sais oedd prif amcan sefydlwyr y Wladfa – a thad Eluned yn anad neb – roedd hi'n anorfod y byddai gwrthdaro'n codi rhwng y ferch ifanc a'i hathrawesau. Roedd y ffaith na siaradai hi Saesneg yn rhugl yn ychwanegu at ei phroblemau, gan nad oedd y disgyblion i fod i siarad Cymraeg ymhlith ei gilydd. Ond mae'n anodd credu na chafodd Eluned flas ar wrthryfela, o farnu yn ôl ei disgrifiad bywiog o un achos:

> ... yr oedd traha yr elfen Seisnig wedi mynd yn anioddefol a thwpedd yr athrawesau parthed pethau Cymreig wedi gwneud un hen waed Cymreig ferwi drosodd, a dydd mawr

---

[3] W. R. P. George (gol.), *Gyfaill hoff. Detholiad o lythyrau Eluned Morgan* (Llandysul, 1972), tt. 34-5.

fythgofiadwy oedd hwnw pan aethom yn un llu banerog i ystafell y brif Athrawes i hawlio ein parchu yn ein gwlad ein hunain. Siaradai Winnie Ellis drosof am nas gallwn yr iaith fain yn llithrig – yr oeddwn newydd fy nghospi y diwrnod cynt am siarad iaith fy mam wrth y bwrdd cinio...[4]

Yn y pen draw, gyda phob un o'r Cymry wedi ymuno yn y gwrthdystiad, 'gan adael rhyw 30 o Saeson gyda'r Athrawesau,' bu'n rhaid galw am y Dr Michael D. Jones, prif symbylydd sefydlu'r Wladfa a chyfaill i dad Eluned, i ddod draw o'r Bala i dawelu'r dyfroedd. Dengys y mwynhad a barodd cyffro'r profiad hwn i Eluned Morgan nid yn unig mor gynnar yr amlygwyd ei sêl dros y Gymraeg ond hefyd ei pharodrwydd i anwybyddu confensiwn a'i hysbryd eofn. Ond byddai ei blynyddoedd yn Nolgellau yn bwysig yn ei hanes diweddarach oherwydd y cysylltiadau cymdeithasol a sefydlodd yno. Roedd Winnie Ellis, y ffrind a fu'n lladmerydd ar ei rhan pan ballodd Saesneg Eluned Morgan, yn chwaer i T. E. Ellis, gŵr ifanc a ddaeth yn un o wleidyddion amlycaf y ganrif. Yn ystod y gwyliau âi Eluned i aros gyda Michael D. Jones a'i deulu yn y Bala, a gallwn dybio mai trwy'r cysylltiad hwnnw y daeth hi i gysylltiad ag Elin Davies, Llanuwchllyn, a briododd Owen M. Edwards yn ddiweddarach. Mewn llythyr at O. M. ym mis Tachwedd 1887 cyfeiriodd Elin at Eluned fel 'geneth dalentog iawn' a fu'n ymweld â Llanuwchllyn yn ddiweddar.[5] Trwy'r merched hyn oedd yn gyfoedion â hi y daeth Eluned Morgan felly i adnabod dau o brif arwyr yr oes a ddaeth yn eilunod personol iddi hi, ond mae'n drawiadol mor anaml y cyfeiria hi at ei ffrindiau benywaidd yn ei gohebiaeth sydd ar glawr, er y bu hi'n llythyru'n ysbeidiol â Winnie Ellis, er enghraifft.[6]

---

[4] *Gyfaill hoff*, t. 62.

[5] Hazel Walford Davies (gol.), *Llythyrau Syr O. M. Edwards ac Elin Edwards, 1887-1920* (Llandysul, 1991), t. 40. Dywed Elin y 'bydd [Eluned] yn cymeryd ei chartre yn Bodiwan', sef cartref Michael D. Jones yn Llanuwchllyn.

[6] Gweler e.e. *Gyfaill hoff*, tt. 33, 36-40.

Daeth dawn lenyddol Eluned Morgan i'r amlwg yn ystod ei dyddiau ysgol. Enillodd glod am ei gwaith ysgrifennu er nad oedd yn ddisgybl disglair iawn fel arall. Ond roedd hi hefyd yn gerddorol iawn. Dywedir iddi ennill ar yr unawd soprano yn Eisteddfod Meirion tra oedd hi yn yr ysgol ac fe'i hystyrid yn gantores ragorol yn y Wladfa.[7] Yn ei hieuenctid roedd hi'n ferch drawiadol iawn ei golwg. Flynyddoedd yn ddiweddarach cofiai un o'i chyfeillion ei gweld hi am y tro cyntaf yn Nolgellau:

> Edrychai fel merch brenin o ryw wlad dramor, llygaid du yn llawn bywyd, gwedd lliw yr aur, gwallt fel y nos, a'i cherddediad yn dywysogaidd.[8]

Er gwaetha'r elfen or-ramantaidd yn y disgrifiad hwn, mae ffotograffau ohoni yn cadarnhau bod ganddi wyneb trawiadol a'i bod yn osgeiddig iawn ei hosgo.

Gadawodd Eluned yr ysgol yn ddeunaw a hwylio adref i'r Wladfa ddechrau Hydref 1888. Galwodd y llong mewn nifer o borthladdoedd ar y ffordd, gan gynnwys Bordeaux, Lisbon, Rio a Montevideo, a mwynhaodd y ferch ifanc y cyfle i dreulio ychydig amser ym mhob un. Cofnododd rai o'i hargraffiadau o'r fordaith hon mewn llythyr at D. R. Daniel, un o gyfeillion T. E. Ellis, gan roi rhagflas o'r hyn a ymddangosai'n ddiweddarach yn *Gwymon y Môr*.[9] Yn ôl yr un llythyr, cafodd Eluned gryn sioc o weld maint y tŷ newydd yr adeiladodd ei thad tra bu hi yng Nghymru. Bwthyn syml oedd hen gartref y teulu, tra oedd hwn 'yn blasdy anferth a thua 20 o ystafelloedd yno'.

Yn ystod y blynyddoedd cyntaf ar ôl iddi ddychwelyd i'r Wladfa y dechreuodd Eluned Morgan ymroi i lenydda. Ym 1891

---

[7] R. Bryn Williams, *Eluned Morgan*, tt. 15, 16-17.

[8] Edward Vaughan Owen, Y Fenni, dyfynnwyd yn R. Bryn Williams, *Eluned Morgan*, t. 17. E.V. Owen a'i frawd a argraffodd *Dringo'r Andes* a *Gwymon y Môr* ym 1904 a 1909, gweler isod t. xiii.

[9] Llythyr a anfonwyd ym Mawrth 1889, gweler *Gyfaill hoff*, tt. 29-32. Ceir cofnod ar D. R. Daniel yn *Y Bywgraffiadur Cymreig hyd 1940* (Llundain, 1953).

enillodd wobr am draethawd yn Eisteddfod y Wladfa, a'r flwyddyn ganlynol cyhoeddwyd llyfryn bach yn cynnwys traethodau bach gan dair o ferched, yn eu plith Eluned, a Miss Esther Emmet, athrawes o Gymru a oedd yn treulio blwyddyn yn y Wladfa. 'Trefnusrwydd Teuluaidd' oedd y testun a chynigiodd yr awduron gynghorion buddiol i ferched ar sut i gadw tŷ cyffyrddus.[10] Dyma'r tro cyntaf, mae'n debyg, i Eluned weld ei gwaith mewn print, ond go brin i'r llyfryn bach hwn gyrraedd cynulleidfa eang iawn.

Ni ddylid synnu bod Eluned wedi dechrau ar ei gyrfa lenyddol trwy gyfansoddi traethawd o'r math. Trosglwyddo ffordd o fyw, eu Cymreictod, eu hiaith a'u ffydd oedd nod y sefydlwyr, ond ar ôl ei drawsblannu, ni lwyddwyd i gael y traddodiad llenyddol Cymraeg i flodeuo yn nhir sych anialwch ei gartref newydd. Roedd bywyd bob dydd yn frwydr anodd yn erbyn y diffeithwch, yr unigrwydd a'r tywydd. Roedd y boblogaeth yn llai na thair mil a gellid dadlau nad oedd hynny'n ddigon i gynnal traddodiad llenyddol o unrhyw fath. Roedd y gair ysgrifenedig yn bwysig, yn enwedig efallai ar ffurf y llythyr, er mwyn i'r sefydlwyr gadw mewn cysylltiad â'r hen wlad. Ond gwerslyfrau ac erthyglau a thraethodau'n trafod materion ymarferol oedd llwyddiannau cyhoeddedig y cyfnod.

Yn fuan iawn ar ôl dychwelyd i'r Wladfa, ymrôdd Eluned i'r gwaith o osod ysgol newydd ar ei thraed yn Nhrelew, a'r ysgol honno ar batrwm Ysgol Dr Williams, Dolgellau. Roedd hi'n llawn hyder a brwdfrydedd, ond siom a gafodd hi oherwydd diffyg cefnogaeth y Gwladfawyr, meddai hi wrth D. R. Daniel. Ar ôl dwy flynedd roedd hi wedi hen alaru, a'i hiechyd yn dioddef o ganlyniad.[11] Aeth i'r brifddinas, Buenos Aires, am dri mis, i gryfhau ac i ddysgu Sbaeneg: mae'n amlwg nad oedd y Sbaeneg eto wedi ennill llawer o dir ymhlith y teuluoedd a

---

[10] R. Bryn Williams, *Eluned Morgan*, tt. 17-18.
[11] *Gyfaill hoff*, t. 33.

sefydlodd y Wladfa, er bod ei thad, fel y gwelsom, wedi ei meistroli ac, yn ôl pob sôn, yn hyddysg mewn llenyddiaeth Sbaeneg yn ogystal â Chymraeg a Saesneg, a chasgliad da o lyfrau ganddo.[12]

Dychwelodd Eluned i fyw at ei rhieni erbyn gwanwyn 1893 a dysgu crefft newydd: 'a hono yw "Printar"!'[13] Cyhoeddai ei thad, a oedd yn argraffwr wrth ei alwedigaeth, bapur newydd y Wladfa, *Y Drafod*, a phan adawodd yr unig gysodydd i chwilio am aur yn yr Andes, mynnodd Lewis Jones i Eluned a'i chyfnither, Mair, ddod i'r adwy. Dyma dystiolaeth glir eto, fel ym mater ei haddysg, na phoenai Lewis Jones am safle ei ferch yn y gymdeithas yn ôl confensiynau Cymru'r bedwaredd ganrif ar bymtheg. Yn ôl Eluned, cafodd flas ar y gwaith hwn, er iddi ychwanegu, mewn cywair mwy lleddf, i'r swydd fod o gymorth iddi anghofio ei hunigedd mewn ardal â phoblogaeth wasgaredig iawn. Wedi cyfnod o fyw yn gyson ymysg pobl yng Nghymru, roedd hi'n colli'r cwmni a'r cymdeithasu. Erbyn gwanwyn 1894 roedd ei chyfnither Mair wedi dychwelyd i Gymru ar ôl pum mlynedd yn y Wladfa, gan adael Eluned yn hiraethu amdani.

Rhywbeth arall a gollai oedd llyfrau a chylchgronau Cymraeg. Cwynai fod 'llyfrau yn llawer prinnach yma na'r llwch melyn [sef aur yr Andes]'.[14] Wrth ysgrifennu at ffrindiau yng Nghymru byddai'n aml yn erfyn arnynt i anfon deunydd darllen Cymraeg i'r Wladfa, a chredai fod swyddogaeth bwysig i'r *Drafod* nid yn unig fel newyddiadur ond fel 'ychydig o help i wareiddio tipyn' ar y plant.[15] *Y Drafod* a gynigiodd i Eluned y symbyliad a'r cyfle i ddechrau ysgrifennu o ddifrif ac i gyhoeddi ei gwaith ei hun. Efallai i hynny godi ei hyder ddigon iddi fentro anfon ysgrifau at O. M. Edwards i'w cyhoeddi yn y

---

[12] R. Bryn Williams, *Eluned Morgan*, t. 13; *Gyfaill hoff*, t. 57.

[13] *Gyfaill hoff*, t. 33.

[14] *Gyfaill hoff*, t. 34.

[15] *Gyfaill hoff*, t. 34.

cylchgrawn *Cymru*. Ymddangosodd y rhai cyntaf ym 1896, y flwyddyn y dychwelodd Eluned i Brydain.

O hydref 1896 hyd wanwyn 1897 cafodd waith yn Llundain, yn copïo llawysgrifau Cymraeg yn yr Amgueddfa Brydeinig i Urdd y Graddedigion ac i J. Gwenogvryn Evans, arbenigwr yn y maes, a oedd yn paratoi i gyhoeddi rhai o'r testunau yn ogystal ag adroddiad swyddogol ar y llawysgrifau. Yn ystod y cyfnod hwn yn Llundain perthynai Eluned Morgan i gylch cymdeithasol o Gymry ifainc a arferai gyfarfod yn Chancery Lane, yn fflat y Cymro Walter Davies a'i ddwy chwaer. Byddai David Lloyd George ymhlith yr ymwelwyr a gellir dyfalu iddi fanteisio ar y cyfarfodydd hyn i fagu rhagor o gysylltiadau defnyddiol gyda Chymry amlwg a dylanwadol. Byddai hi'n elwa ar y cysylltiadau hyn wrth geisio marchnata ei llyfrau yn ddiweddarach. Ond er iddi fwynhau'r cwmni, ni theimlai'n gartrefol yn Llundain, a hithau wedi arfer â bywyd cefn gwlad, a mynnai mai 'ceisio gan rûg y mynydd dyfu mewn hothouse oedd mynd ag Eluned i Chancery Lane!'[16] Treuliodd rai misoedd wedyn yng Nghymru, yn cynnal ei hun trwy ddarlithio yn y de a'r gogledd, ond hwyliodd yn ôl i Batagonia ym Mawrth 1898. Roedd hi wrth ei bodd i fod adref ar ôl rhuthr, glaw a mwg y trefi a ymddangosai'n orboblog iddi:

> Wel diolch i'r Nef am Wladfa onide, lle y gall dyn ddod i gael ei wynt ato weithiau, a theimlo wrth eistedd o dan gysgod yr helyg gwylaidd ac yn sŵn murmur y Camwy tra hi yn araf droelli tua'r môr, *fod* yna ddiben *uwch* i fywyd na chasglu cyfoeth gyda mawr drwst, ac enill clod gydag ymffrost mwy.[17]

Taflodd ei hun i ymgyrch i sefydlu ysgol ganolradd Gymraeg. Gresynai fod y bobl ifanc yn gorfod teithio i Gymru er mwyn cael ysgol addas ac am flynyddoedd bu hi'n brwydro dros addysg yn y Wladfa. Ond daeth antur newydd i dorri ar draws ei llafur diddiolch, pan gafodd gyfle i fynd ar daith farchogaeth

---

[16] *Gyfaill hoff*, tt. 46, 223.
[17] *Gyfaill hoff*, t. 46.

fythgofiadwy i'r Andes. Mae'n debyg iddi gadw rhyw fath o nodiadau yn ystod y daith oherwydd cyn cychwyn roedd hi wedi rhoi ei gair i O. M. Edwards y byddai'n ysgrifennu'r hanes iddo ei gyhoeddi yn *Cymru*. Yr erthyglau hyn, a gyhoeddwyd ym 1899, a ddaeth â hi i sylw darllenwyr yng Nghymru am y tro cyntaf.[18] Y rhain hefyd, wedi eu hailwampio a chyda phenodau newydd, fyddai sail ei chyfrol gyhoeddedig gyntaf, *Dringo'r Andes*.

Tua'r un cyfnod, yng ngwanwyn 1899, bu'n rhaid iddi ysgwyddo cyfrifoldeb am *Y Drafod* unwaith eto, yn dilyn marwolaeth y golygydd, y Parch. A. Mathews. Ni châi lawer o lonydd i lenydda. Ar wahân i roi'r papur newydd at ei gilydd, bu'n rhaid iddi ysgwyddo mwyfwy o'r gwaith fferm a thŷ wrth i'w rhieni fynd yn hŷn, ond roedd gwaeth i ddod. Yn ystod haf 1899 diflannodd erwau o dir y Wladfa dan lifogydd difrifol. Bu iddi fwrw'n drwm o fis Ebrill hyd ddiwedd Awst nes bod 'y dyffryn tawel ffrwythlon yn un llyn mawr a'r 3000 Cymry yn byw mewn pebyll ar lethrau'r bryniau.'[19] Ym mis Gorffennaf collodd Eluned ei chartref a'i holl drysorau personol ond er gwaetha'r drychineb ni allai llai na theimlo rhyw wefr wrth weld holl bwerau natur (a Duw) yn dymchwel gwaith dyn. Gellir synhwyro peth o'r cyffro yn ei disgrifiadau o'r digwyddiadau hyn ym mhennod gyntaf *Dringo'r Andes*, ond ymataliol iawn yw'r darlun a geir ganddi yno o'i gymharu â'r llythyr a anfonodd at William George ym mis Tachwedd 1899. Yno adroddodd Eluned sut y bu raid iddi hi a'i mam ffoi ganol nos (roedd Lewis Jones yn Buenos Aires ar y pryd), ond dyma sut y dychwelodd Eluned ar ei march i weld ei hen gartref drannoeth gyda'r wawr:

... ac ni anghofiaf yr olygfa tra byddaf byw – yr oedd y dwfr yn dod oddifynu yn donau cynddeiriog fel y Bay of Biscay mewn

---

[18] Fe'u cyhoeddwyd dan y teitl 'Cip ar gopa'r Andes' yn *Cymru* cyf. xvii, rhif 96 (1899), 12-14, a rhif 100, 199-202.
[19] *Gyfaill hoff*, t. 56.

storm, ac yn curo yn erbyn muriau'r hen dy nes golchi yr ewyn gwyn tros y to – mentrais i mewn drwy'r ffenestri a'r dwfr yn dylifo ar fy ol, aethum i'r llofft a chefais un gip ogoneddus ar y llifeiriant yn anterth ei nerth, un oi lu mawr Ef – mor ofnadwy oedd, ac eto mor ogoneddus yn ei farwedd a'i allu. Yr oedd y ceffyl truan yn crynu gan ofn, ac yn gweryru o falchder pan welodd fi'n dod – dyna ride oedd hono, ride am fywyd i'r mynyddoedd – 'but it was glorious'. Wedi cyrhaedd ychydig ddiogelwch troais fy ngwyneb yn ol tua'r hen gartref lle treuliais flynyddoedd dedwydd fy mebyd; gwyddwn na chawn byth ei weled mwy, na'm holl fyrdd trysorau oedd gu iawn genyf... cyn pen yr awr yr oedd y cyfan yn domen a'r tonau cynddeiriog yn golchi drosto.[20]

Daw'r un cyffro i'r brig yn aml yn ei gwaith, er enghraifft yn ei disgrifiad o'r storm yn nhrydedd bennod *Gwymon y Môr*.

Mor fawr oedd y colledion yn sgil y llifogydd, yn ôl Eluned, nes bod y Gwladfawyr bellach yn dlotach nag oeddent wrth lanio am y tro cyntaf bedair blynedd ar ddeg ar hugain yn gynharach. Ergyd drom arall i'r teulu oedd colli llyfrgell bersonol Lewis Jones gyda'r lli. A chan fod prif dref Patagonia, Rawson, 'i lawr yn garnedd' symudwyd pencadlys rhanbarthol llywodraeth yr Ariannin gyda'i holl swyddogion i Drelew, 'canol ein sefydliad Cymreig,' ac – yn waeth na hynny ym marn heddychwyr o Gymry – 'codi Barracks ... a dodi 300 o filwyr anllad Archentina yno.'[21]

Unwaith yr oedd yr argyfwng drosodd a'r gwaith o ailgodi Trelew yn mynd rhagddo, dechreuodd Eluned aflonyddu eto. Ni lwyddodd i lwyr ymgartrefu yng Nghymru nac ym Mhatagonia yn ystod y cyfnod hwn yn ei bywyd. Mae'n debyg mai person anodd oedd hi, a llawer iawn o'r cymlethdodau yn ei chymeriad yn deillio o statws cymdeithasol a diwylliannol ei thad. Fel merch i'r dyn pwysig hwnnw, datblygodd hyder naturiol ac ymwybyddiaeth gref o'i harwyddocâd yn y gymdeithas Gymraeg: fel merch i'w thad, fe'i hynyswyd, i

---

[20] *Gyfaill hoff*, t. 56.
[21] *Gyfaill hoff*, t. 58.

raddau helaeth, oddi wrth y byd o'i chwmpas yn y ddwy wlad. Daeth Eluned i adnabod llawer iawn o bobl yng Nghymru ac yn y Wladfa ac roedd llawer iawn ohonynt yn parchu ei doniau ac yn ei hedmygu. Eithr nid oedd hi'n annwyl ganddynt nac yn agos atynt. Er iddi eilunaddoli nifer o ddynion (a rhai enwog fel O. M. Edwards a Nantlais yn eu plith), nid oes sôn rhyngddi hi a'i chyfeillion gwrywaidd am ddim rhagor na chyfcillgarwch, a'r cyfeillgarwch hwnnw wedi'i seilio ar barch at ei gallu a'i statws. Yn yr un modd, ni ellid honni bod perthynas agos rhyngddi a chyfeillion benywaidd fel Esther Emmet a Moelona.

Merch hyderus oedd Eluned Morgan, ond gyda'r math o hyder sydd mor aml gan yr unigolyn sy'n dod o gefndir breintiedig. Roedd hi hefyd yn unig. Bywyd unig a chaled yn eu cartrefi anghysbell oedd profiad y sefydlwyr, ond roedd pawb yn yr un sefyllfa ac yn rhannu'r un gofidiau, tra oedd profiadau a disgwyliadau merch Lewis Jones yn wahanol: roedd ei sefyllfa hi'n unigryw ac roedd hi'n unig. Perthynai rhyw arwahanrwydd i'r ferch hon gyda'i balchder arwrol, ei hunigrwydd a'i hanallu i greu a chynnal cyfeillgarwch agos.

Erbyn gwanwyn 1900 roedd Eluned yn ysgrifennu at Gwenogvryn Evans ac O. M. Edwards i ofyn am gymorth i gael swydd gydnaws iddi yng Nghymru. Ond daeth dim cynigion i law a thaflodd Eluned ei hun i weithgareddau lleol fel trefnu'r eisteddfod gyntaf ers pum mlynedd ac adeiladu capel Cymraeg newydd gyda llyfrgell fechan ynghlwm wrtho. Daeth llifogydd eto ym 1901 gan ddifrodi cartref y teulu, a bu raid i Eluned a'i mam letya gyda chymdogion o fis Gorffennaf tan mis Hydref. Ond o'r diwedd, wedi i'w chwaer a'i brawd-yng-nghyfraith ddychwelyd i'r Wladfa, daeth cyfle iddi drosglwyddo i eraill y cyfrifoldeb o ofalu am ei rhieni. Hwyliodd i Gymru unwaith eto ym Mehefin 1902 a throi am Lanuwchllyn, lle y cafodd lety tan ddiwedd Awst gydag O. M. Edwards a'i deulu. Nid oedd ei harhosiad yno yn un gwbl hapus. Methu dod o hyd i waith oedd yr esboniad a roddodd i William George yn ei llythyron, ond mae'n bosibl nad oedd hi ag Elin Edwards yn cyd-dynnu'n dda iawn.[22] Clywodd John Ballinger, llyfrgellydd dinas Caerdydd, fod angen rhywun i gatalogio llyfrau yng ngholeg Llambed, ond er gwaethaf ei gefnogaeth i Eluned ni chafodd hi'r swydd. Yn y diwedd Ballinger ei hun a gynigiodd le iddi yn llyfrgell Caerdydd, ac er rhyddhad i bawb, mae'n debyg, symudodd Eluned i Gaerdydd ddechrau mis Medi i gychwyn ar ei gwaith newydd yn cynorthwyo Ifano Jones yn yr Adran Gymraeg. Cwynai wrth ffrindiau fod y cyflog yn isel ond, a hithau wedi gweithio'n galed i loywi ei Sbaeneg yn ystod cyfnod y llifogydd, cafodd hyd i waith ran-amser yn dysgu'r iaith honno mewn ysgolion a cholegau yn y ddinas.

Mwynhâi ei gwaith yn y llyfrgell, ond creadur aflonydd oedd hi o hyd, ac nid oedd bywyd y ddinas at ei dant:

> ... teimlaf yn fwy bob dydd na'm crewyd i fyw mewn trefi – plentyn y paith wyf o hyd, a'm dyhead am dawelwch yn angerddol ... Credaf pe bae genyf ddigon o gregin heddwch yr awn i fyw i Ddinas Mawddwy er mwyn bod yn ddigon pell o sŵn y byd a'i ruthr parhaus.[23]

Croesawodd felly y gwahoddiadau i ddarlithio yma ac acw a ddaeth trwy gymorth ei chydnabod yn y sefydliad Anghydffurfiol, yn enwedig Gwili.[24] Wrth deithio i'r Fenni, i

---

[22] *Gyfaill hoff*, t. 77. Chwe blynedd yn gynharach bu tyndra rhyngddi ag Elin Edwards – ar ochr Elin o leiaf – yn ôl tystiolaeth llythyr a anfonodd Elin at ei gŵr ym mis Hydref 1896: 'Dydw i ddim yn gweld fod achos am wneyd cymaint o Eluned Morgan. Ydych chwi yn cael rhywbeth oddiar ei llaw heblaw ei bod yn prynnu rhai o'ch llyfrau? Mae gen i ddigon. Does arna i eisieu ddim chwaneg ataf. Gan fod gennych chwy gymaint o ffansi ati, cymerwch hi atoch i Oxford a chysgwch hefo hi os leiciwch chi...' (*Llythyrau Syr O. M. Edwards ac Elin Edwards*, t. 276). Efallai fod Elin yn eiddigeddus o ryddid Eluned a bod hyn yn ychwanegu at ei thueddiad i ddioddef o iselder. Eto i gyd, dychwelodd Eluned i aros at y teulu yn Llanuwchllyn ym mis Awst 1903.

[23] *Gyfaill hoff*, t. 88.

[24] John Gwili Jenkins (1872-1936), diwinydd a llenor o Bontarddulais, golygydd y cylchgrawn *Seren Cymru* o 1914-27; am fanylion pellach gweler y *Bywgraffiadur*.

Ddyffryn Aman neu i Aberystwyth, câi gyfle i ddianc i'r wlad a hefyd i fwynhau lletygarwch cartrefol ar aelwydydd Cymraeg. Yn y capeli y cynhaliwyd y darlithoedd ond themâu cenedlatholgar a ddewisai hi'n aml: 'Cymry oddi cartref' ac 'Arwyr rhyddid', a 'Gruffudd Jones, Llanddowror' oedd teitlau'r rhai mwyaf poblogaidd.[25] Manteisiodd ar y teithiau hyn hefyd i wneud rhagor o gysylltiadau defnyddiol ymhlith Cymry amlwg y dydd. Brithir ei llythyrau ag enwau beirdd megis Watcyn Wyn a Ben Bowen, a newyddiadurwyr fel Daniel Rees. Yn ystod y cyfnod hwn, ar ddechrau haf 1903, yr aeth hi ati i lunio'r gyfrol *Dringo'r Andes* ar sail y gyfres o erthyglau a gyfranasai i *Cymru*, gan ychwanegu disgrifiad o'r llifogydd a ddigwyddodd ar ôl ei thaith i'r Andes. Ymwelodd â Llanuwchllyn ym mis Awst ac yno, yn ôl pob tebyg, y cafodd gymorth golygyddol gan O. M. Edwards. Credai ar hyd ei hoes fod ei Chymraeg ysgrifenedig yn wallus a rhoddai'r bai am hynny ar ddiffygion yr addysg a dderbyniodd, ond gellir disgwyl bod ei Chymraeg hi, Cymraeg y Wladfa, ychydig yn wahanol i'r hyn a ystyrid yn safonol yng Nghymru ar droad y ganrif. Yn anffodus, nid yw'n bosibl inni wybod i ba raddau y mae'r testun cyhoeddedig yn adlewyrchu ei hiaith naturiol hi na pha mor helaeth y'i diwygiwyd gan O. M. Edwards.

Roedd cynnwys ac arddull rhyddiaith Eluned yn *Dringo'r Andes* yn newydd i lenyddiaeth y Cymry. Gan fod yr awdures yn gyfarwydd â llenyddiaeth Sbaeneg, mae'n naturiol bod modd canfod yn ei gwaith adleisiau cryfion o eirfa flodeuog a brawddegau cymhleth y llenyddiaeth honno. Oes aur y Rhamantwyr oedd hi yn hanes llenyddiaeth Gymraeg, a gellid dadlau bod rhyddiaith Eluned a barddoniaeth beirdd fel T. Gwynn Jones, W. J. Gruffydd ac R. Williams Parry yn perthyn i'r un ysgol.[26] Cadwyn o ysgrifau sy'n llwyddo i greu

---

[25] R. Bryn Williams, *Eluned Morgan*, t. 25.
[26] Cymharer ysgrif Saunders Lewis ar Eluned Morgan yn *Ysgrifau Dydd Mercher*, tt. 84-92.

cyfanwaith llenyddol llwyddiannus yw cyfrol Eluned, ac ar y sail honno gellir ei gosod yn yr un dosbarth â gweithiau O. M. Edwards fel *Tro yn yr Eidal* (1889), *O'r Bala i Geneva* (1889) a *Cartrefi Cymru* (1896). Mae dylanwad patrwm y cyfrolau hyn yn drwm ac yn amlwg ar waith Eluned Morgan.

I ferch arall, ac un arall a oedd â chysylltiadau â'r Wladfa, y mae'r diolch am ddod o hyd i gyhoeddwyr i *Dringo'r Andes*. Roedd Esther Emmet, a gyfranasai ysgrif i'r un llyfryn bach ag Eluned ym 1891, bellach yn byw yn y Fenni. Aeth Eluned yno i ymweld â'i hen ffrind a chafodd ei chyflwyno gan Miss Emmet i'r brodyr Edward Vaughan Owen ac Owen John Owen, argraffwyr a oedd yn byw y drws nesaf iddi yn 19 Heol Neville.[27] Cyhoeddwyd *Dringo'r Andes* yn briodol iawn ar Ddydd Gŵyl Ddewi 1904, a thrwy ei chyfeillgarwch â T. Gwynn Jones sicrhaodd Eluned Morgan adolygiad buan a chanmoliaethus ganddo yn *Yr Herald Gymraeg* o fewn mis. Swllt oedd pris y gyfrol, a dwy fil o gopïau a argraffwyd; cyfrifoldeb yr awdur oedd eu marchnata a'u gwerthu. Ond llwyddasai i sicrhau cymorth cant a hanner o danysgrifwyr ymlaen llaw. Ymhlith yr enwogion a gefnogodd y fenter rhestrir gwleidyddion fel David Lloyd George a Syr John Herbert Lewis, athrawon coleg megis Thomas Francis Roberts ac Edward Anwyl, y bargyfreithiwr T. Marchant Williams, yr arlunydd Samuel Maurice Jones, llenorion megis Watcyn Wyn, Elfed, Gwili, T. Gwynn Jones ac Alafon, a rhai o gydnabod Eluned o Gaerdydd, fel Syr John Ballinger a Cochfarf. Diddorol yw nodi mor brin yw'r merched ymhlith y tanysgrifwyr – dim ond deg sydd ar y rhestr. Mae'n anodd peidio â chasglu mai cylchoedd gwrywaidd yn bennaf y bu Eluned yn eu mynychu – yn *dewis* eu mynychu, o bosibl. Tanysgrifiodd Annie Ellis, gweddw T. E. Ellis, fwy na thebyg oherwydd cyfeillgarwch bore oes Eluned â Winnie Ellis, chwaer y gwleidydd. Un o'r merched eraill yn y rhestr oedd Miss Mallt Williams,

---

[27] R. Bryn Williams, *Eluned Morgan*, t. 25.

Aberclydach, cenedlaetholwraig mor danbaid ag Eluned: ni allwn ddisgwyl llai, a hithau'n cefnogi pob achos Cymraeg, ond tybed iddi hefyd adnabod yn Eluned Morgan enaid nid annhebyg iddi hi ei hun? Roedd y ddwy yn ddi-briod, yn anghonfensiynol, yn frwd dros y Gymraeg ond yn dal ar yr ymylon.[28]

Dengys cyfeiriadau'r tanysgrifwyr fod Eluned wedi elwa'n fawr o'i theithiau i ddarlithio, ac mae'n drawiadol mor brin yw'r enwau o'r tu allan i'r ardaloedd hynny lle y bu hi'n ymweld. Ond cafodd gymorth gan unigolion i ddosbarthu'r llyfr yn ehangach, ac aeth dau gant o gopïau at gyfaill yng Nghaernarfon i'w gwerthu. Gwerthodd rai copïau ei hun trwy'r post, gan godi ceiniog am y cludiant.[29] Ond yn fuan iawn bu raid gadael yr ymgyrch farchnata i eraill, oherwydd daeth neges fod ei thad yn wael a chan hynny bu raid iddi ddychwelyd i'r Wladfa ddiwedd Mehefin 1904. Cyn iddi fynd, clywodd fod sôn am wneud *Dringo'r Andes* yn llyfr gosod yn yr ysgolion, a chododd y newydd ei chalon wrth iddi gefnu ar Gymru ac ar swydd a roddodd gymaint o fwynhad iddi. Serch hynny, bu raid aros tan 1907 cyn yr ailargraffwyd y gyfrol.

Cyrhaeddodd adref mewn pryd, ond bu farw ei thad ar 24 Tachwedd 1904 a chollodd Eluned ei harwr cyntaf. Ar ôl rhai misoedd o ansicrwydd, penderfynodd ddychwelyd i Gymru unwaith eto ac erbyn haf 1905 roedd hi'n ôl yng Nghaerdydd ac yn ailgydio yn ei swydd yn y Llyfrgell. Yr un oedd y patrwm ag o'r blaen, sef gweithio yn y ddinas ond treulio llawer o amser ar deithiau darlithio. Roedd yr ymweliad hwn â Chymru yn un tyngedfennol, oherwydd cafodd ei chyffwrdd yn ddwfn gan ddiwygiad Evan Roberts. Byr oedd ei harhosiad, serch hynny, a hwyliodd unwaith eto am y Wladfa yn Ebrill 1906. Dychwelodd i Brydain ym mis Mai 1908 ac yn ystod yr haf bu

---

[28] Gweler Marion Löffler, 'A romantic nationalist. The life of Mallt Williams', *Planet* 121 (1997), 58-66.

[29] *Gyfaill hoff*, t. 99.

hi'n gweithio ar ei hail lyfr, *Gwymon y Môr*, hanes rhamantaidd a myfyriol mordaith o Brydain i'r Ariannin; cyhoeddwyd y gyfrol ddechrau Chwefror 1909. Gellir tybio bod y syniad wedi bod yng nghefn ei meddwl erstalwm, o gofio bod dwy ysgrif ar yr un thema wedi ymddangos yn *Cymru* mor gynnar ag 1896. Fe'i plesiwyd yn fawr gan y clawr deniadol a ddyluniwyd gan yr arlunydd J. Kelt Edwards:

> Mae Kelt wedi breuddwydio clawr dihafal i'r gyfrol fach, a'r perygl yw y bydd y tu allan yn well o lawer na'r tu fewn.[30]

Adleisir yr un diffyg hyder yn ei gwaith ag a geir yn y sylw bach hwnnw yn y rhagymadrodd i *Gwymon y Môr*, sydd nemor ddim ond cyfres o ymddiheuriadau am ei diffyg medrusrwydd wrth geisio cyfleu anian y môr a'i hymateb hithau iddo. Mynegodd yr un teimladau mewn llythyr preifat at William George ychydig ddyddiau wedi cyhoeddi'r llyfr:

> Chwi welwch fod y 'Gwymon' wedi dod o'r Mor – druan ohono, buasai llawer diogelach iddo aros yn yr eigion dwfn.[31]

Y tro hwn, ni cheisiwyd tanysgrifwyr ymlaen llaw, ond roedd digon o ddarpar brynwyr. Yn yr un llythyr brolia'r awdur ei bod hi wedi gwerthu deugain copi y noson cynt a bod 'canoedd o enwau eisoes mewn llaw'. Nid oedd amser i golli, oherwydd o fewn mis cyfeiria at fil yr argraffwyr, sef £37, swm sylweddol iawn ar y pryd.[32] Roedd hi hefyd ar fin gadael ar daith i'r Aifft a Phalestina yng nghwmni criw o Gymry, yn eu plith y llenor a chyfansoddwr Robert Bryan, a dreuliai bob gaeaf yn yr Aifft

---

[30] *Gyfaill hoff*, t. 166. Ar hanes yr arlunydd gweler Ted Breeze Jones, *Goleuo'r Sêr. Golwg ar J. Kelt Edwards a'i waith* (Llanrwst, 1994). Gan fod O. M. Edwards yn un o brif noddwyr Kelt, trwyddo ef, fwy na thebyg, y sicrhawyd y comisiwn. Efallai na wyddai Eluned am hoffter Kelt o'r botel, gwendid a fuasai o bosibl yn annerbyniol i un a ddaeth dan ddylanwad y Diwygiad. Pwysleisia R. Bryn Williams 'yr ochr biwritanaidd i'w phersonoliaeth' a ddaeth, meddai ef, yn 'amlycach beunydd' yn ystod ei blynyddoedd olaf yng Nghymru (*Eluned Morgan*, t. 33).
[31] *Gyfaill hoff*, t. 172.
[32] *Gyfaill hoff*, t. 174.

oherwydd ei iechyd bregus. A hithau â'i ffydd Gristnogol yn fwy tanbaid fyth ers Diwygiad mawr 1904-5, fe ymddengys fod ymweld â Phalestina megis gwireddu breuddwyd ac yn bwysicach iddi na marchnata ei gwaith llenyddol. Ond ailgydiodd yn y dasg ar ôl dychwelyd i Gymru, gan anfon pecynnau o gopïau o *Gwymon y Môr* at gyfeillion i'w gwerthu trwy'r capeli.[33]

Yn ystod hydref a gaeaf 1909 aeth Eluned ar daith ddarlithio eto, cyn troi'n ôl am Batagonia ym mis Chwefror 1910, ond ddwy flynedd yn ddiweddarach fe'i cawn unwaith eto yng Nghaerdydd. Y tro hwn roedd hi'n cadw cwmni (neu efallai'n gweithio fel *chaperone*) i'w nith Mair ap Iwan, oedd yn dilyn cwrs gradd yn y coleg. Hwn oedd ymweliad olaf Eluned â Chymru. Arhosodd tan 1918. Efallai y buasai wedi mynd adref i'r Wladfa'n gynt oni bai am y Rhyfel Byd Cyntaf. Y rhyfel hwnnw hefyd a siglodd ei ffydd ddigwestiwn yn ei harwr mawr O. M. Edwards. Ym 1916 y daeth y dadrithiad mawr pan gyhoeddodd ef erthygl yn rhifyn mis Ebrill *Cymru* lle y dadleuai'n gryf ac yn emosiynol iawn y dylai dynion ifainc Cymru ymuno â'r fyddin. I Eluned ac eraill roedd hyn yn gyfystyr â bradychu egwyddorion heddychol, Cristnogol, ac er iddi dalu teyrnged ddiffuant iddo pan fu ef farw ym 1920, ni fu O. M. yn gymaint o eilun iddi ar ôl iddo gyhoeddi'r ysgrif honno.

Ond parhaodd Eluned i lenydda, ac yn ystod y rhyfel cyhoeddwyd dwy gyfrol arall ganddi. Hanes ei thaith i Balestina, a adawsai argraff ddofn iawn arni, a gawn yn *Ar Dir a Môr*, a gyhoeddwyd ym 1913, ac Indiaid Periw yw testun *Plant yr Haul* (1915). Y rhain oedd ei llyfrau olaf; bu farw 29 Rhagfyr 1938. Yn ystod ugain mlynedd olaf ei hoes, bu'n byw yn y Wladfa gan gysegru ei holl egni i achosion Cristnogol. Bu'n Gristion erioed ond ar ôl ei thrõedigaeth adeg y Diwygiad

---

[33] Gweler, e.e., ei llythyr at Silyn Roberts, 21 Mehefin 1909, *Gyfaill hoff*, tt. 182-3.

daeth ei hargyhoeddiad a'i hawydd i genhadu yn ganolbwynt ei bywyd. Bu llawer o drafod ar y cysylltiad posibl rhwng ei thröedigaeth a diwedd ei gyrfa fel llenor.[34]

Nid oes ateb syml i'r cwestiwn hwn, ond roedd ei hargymhellion i gyd, trwy gydol ei hoes, yn ymwneud â'i chenedlaetholdeb a'r ffaith seml mai merch Lewis Jones oedd hi. Beth oedd sail resymegol yr ymfudwyr cynnar wrth ymadael â'u gwlad enedigol a hwylio am ddiffeithwch y Wladfa? Roedd diwylliant traddodiadol ac iaith y Cymry dan fygythiad wrth i senedd Prydain ganoli'r prosesau llywodraethol ac wrth i ddylanwad a grym y byd Saesneg ei iaith gynyddu o ddydd i ddydd. Daeth y trên a'r wasg argraffu â ffasiwn, moes ac iaith trefi mawr Lloegr i gefn gwlad Cymru. Ffactorau diwylliannol fel y rhain oedd yn hollbwysig i lawer iawn o'r sefydlwyr, ond ni ddylid anwybyddu'r ystyriaethau eraill, ac yn benodol felly yr ystyriaethau economaidd a ysgogodd teuluoedd, yn enwedig rhai o blith dosbarth gweithiol tlawd yr ardaloedd diwydiannol newydd, i chwilio am gartref newydd a gwelliant i'w sefyllfa ariannol dros y tonnau.

Naïfrwydd ymarferol a gwleidyddol oedd prif wendidau arweinwyr y sefydlwyr. Yn ôl yng Nghymru, derbyniwyd adroddiadau anesboniadwy o amrywiol ar gyflwr y tir a'r posibiliadau amaethyddol gan yr ymwelwyr cyntaf â'r ardal. Wrth ddianc rhag gormes y Sais, dewisodd y Cymry fynd i hen wlad yr Indiaid Tehuelches paganaidd, lle roedd yr iaith Sbaeneg a'r ffydd Babyddol yn prysur ennill eu tir. Siomwyd y Cymry. Ni wireddwyd pob addewid a gawsant gan y llywodraeth, ac yn sicr, ni wireddwyd eu breuddwydion. Ym 1900, daeth yr iaith Sbaeneg yn iaith swyddogol ysgolion y

---

[34] Ceir yr astudiaeth fanylaf gan Dafydd Ifans yn *Tyred Drosodd: Gohebiaeth Eluned Morgan a Nantlais* (Pen-y-bont ar Ogwr, 1977), yn enwedig tt. 11-23. Gweler hefyd ei erthygl 'Syniadau crefyddol Eluned Morgan', *Y Traethodydd*, 128 (1973), 274-85.

wlad. Roedd hon yn ergyd drom i'r Gwladfawyr o gofio fod cenedlaetholdeb, yr iaith Gymraeg a'r ffydd Anghydffurfiol yn anwahanadwy yng Nghymru'r bedwaredd ganrif ar bymtheg. Wrth gael ei siomi ym mreuddwyd ei thad, yn ymwybodol neu yn anymwybodol, fe benderfynodd Eluned y byddai'n cadw a chynnal beth oedd yn bwysig iddi o'i chenedlaetholdeb, sef ei chrefydd.

Fel y gwelsom, parhaodd Eluned i lenydda ac i gyhoeddi ei gwaith yn y blynyddoedd yn dilyn y Diwygiad. Cyhoeddwyd tair o'i phedair cyfrol o fewn y degawd a ddilynodd, a dim ond pan ddychwelodd i Batagonia yr esgeulusodd y gwaith ysgrifennu. Roedd y ffaith fod ei chrefydd a'i hawydd i efengylu yn bwysicach iddi na hyd yn oed ei sêl dros y Gymraeg yn ffactor pwysig. Mae'n ddiddorol gweld fel y rhydd lai o bwyslais ar ymgyrchu dros addysg Gymraeg gan awgrymu fod achub eneidiau yn bwysicach iddi bellach nag achub yr iaith. Mae'n bosibl hefyd nad oedd ganddi ddigon o sbardun i ysgrifennu yn y Wladfa. Cwynai ar hyd ei hoes fod cyn lleied o fynd ar ddarllen yno ac nad oedd byth digon o lyfrau ar gael i ennyn diddordeb y trigolion, ac mae yna le i gredu felly na fyddai hi byth wedi cyhoeddi dim oni bai am ei hymweliadau cyson â Chymru, lle cawsai anogaeth gyson gan O. M. Edwards ac eraill. Yng Nghymru ac yng Nghymru'n unig y câi droi yng nghylchoedd deallus a llengar a bu ei gwaith yn llyfrgell Caerdydd yn gymorth mawr iddi ddarllen yn eang a thrafod llenyddiaeth gyda rhai a gafodd well addysg ffurfiol na hi. Dynion oedd y rhain yn ddieithriad.

Os na chyhoeddwyd rhyw lawer ganddi yn yr ugain mlynedd cyn iddi farw, eto i gyd ni roddodd y gorau i ysgrifennu, oherwydd parhaodd i ohebu â chyfeillion a chydnabod yng Nghymru. Fel y dengys hynny o'i gohebiaeth a oroesodd, gweithiau llenyddol oedd ei llythyron hefyd. Ynddynt ceir disgrifiadau o lefydd a digwyddiadau, o brofiadau a theimladau, o'r un anian ag yn ei llyfrau. Yr un yw'r ing, yr un yw'r cyffro a'r awydd i ddadansoddi ac i fynegi profiadau pwysig a mawr. Bu'n llythyru yn lle llenydda, ac mae yna le i ddadlau mai llenydda oedd y llythyru. O bosibl fod y ffin rhwng y ddau gyfrwng yn un go denau iddi beth bynnag, o gofio pwysigrwydd llythyru i Gymry Patagonia, a'r ffaith i'r traddodiad llythyru ddatblygu yn eu plith yn sgil eu hawydd a'u hangen i gadw mewn cysylltiad â ffrindiau a pherthnasau yng Nghymru. Gellir dadlau mai'r llythyr oedd prif *genre* llenyddol y Wladfa ac o bosibl fod hynny wedi gadael ei ôl ar arddull Eluned Morgan yn ei llyfrau, gyda'r pwyslais ar yr elfen bersonol a'r ymgais i adrodd profiadau mewn ffordd fywiog ac agosatoch.[35]

Nid oedd y penderfyniad i ailgyhoeddi *Dringo'r Andes* a *Gwymon y Môr* a'u cyflwyno i gynulleidfa newydd, rhyw ganrif ar ôl eu hymddangosiad cyntaf, yn un anodd. Mae gan y ddau waith apêl amlwg i ddarllenwyr heddiw. Anodd yw peidio ag ildio i lif di-dor brwdfrydedd iaith gyfoethog Eluned, ond themâu o ddiddordeb cyfoes yn ogystal â dyfnder ac ehangder meddwl y ferch ifanc o'r Wladfa sy'n swyno'r darllenydd heddiw yn anad dim.

Harddwch a grym natur a chân o fawl i'r haul, yn codi o wefusau Cymraes Anghydffurfiol a geir yn *Dringo'r Andes*. Er mai Rhamantydd yw hi, a'i meddwl yn byrlymu gyda'i breuddwydion, gwêl Eluned ond yn rhy glir dynged y fforestydd glaw a ffawd yr Indiaid brodorol, y Tehuelches. Erbyn heddiw, mae dyfodol pobloedd cynhenid dan fygythiad, a'r ffordd y mae dyn yn dinistrio'r amgylchedd naturiol, yn destun pryder a thrafodaeth gyhoeddus ar draws y byd, ond ni phoenai llawer o gyfoedion Eluned am y cwestiynau hyn. Eto i gyd, nid materion gwleidyddol oedd y rhain iddi hi. Datganiad o'i hymwybyddiaeth o natur unigryw ei phrofiadau yw'r gyfrol. Gwelodd harddwch ac onestrwydd byd natur, a thrwy ei

---

[35] Dafydd Ifans, *Tyred drosodd*, t. 16; R. Bryn Williams, *Rhyddiaith y Wladfa* (Dinbych, 1949), tt. 41-2.

llygaid fel Rhamantydd fe welodd hi wirionedd mawr y Rhamantwyr: mai gwacter ac oferedd oedd popeth ond y greadigaeth ddwyfol. Ceisiodd ddeall sefyllfa'r Indiaid dan orthrwm diwylliant Sbaeneg, ond cydymdeimlad yn deillio o ymateb emosiynol a geir ganddi yn *Dringo'r Andes* yn hytrach na dadansoddiad gwrthrychol. Roedd y Tehuelches, yn union fel y Cymry yn y famwlad ym Mhrydain, yn meddu ar iaith, ar ffordd o fyw, ar ddiwylliant a ffydd a oedd dan fygythiad dan estroniaid. Er iddi deithio i fannau anghysbell, unig a pheryglus a phrofi caledi bywyd cymharol gyntefig, ni ddewisodd Eluned bwysleisio manylion amgylchiadau byw yr Indiaid. Yn hytrach, ymatebodd yn reddfol i ramant yr Indiaid a mynegodd ei chydymdeimlad â'u cyflwr fel cenedl o safbwynt cenedlaetholdeb Cymreig diwedd y bedwaredd ganrif ar bymtheg.

Adlewyrcha'r ddau destun a gyflwynir yma yr un tyndra rhwng dulliau mynegiant cyffesol a mynegiant gwrthrychol ag y cysylltir â'r traddodiad rhamantaidd Ewropeaidd. Man cychwyn Eluned yw ei phrofiadau personol, ei hargraffiadau a'i hymatebion uniongyrchol i'r byd o'i chwmpas. Ar ôl cyflwyno ei phrofiadau a'i hargyhoeddiadau cryfion, ceir ffeithiau perthnasol ganddi, ynghyd â damcaniaethau ac ymdrechion i ddadansoddi gwybodaeth. Ei gweledigaeth bersonol yw ei phrif flaenoriaeth a dyma'r elfen gyson trwy ei holl weithiau llenyddol. Er i'r cydbwysedd rhwng ei syniadau cymdeithasol, gwleidyddol a chrefyddol newid yn ystod ei gyrfa, arhosodd ei hymateb angerddol i'w hamgylchfyd yr un mor frwd.

Hanes un o fordeithiau Eluned – o Lundain yn ôl i'r Wladfa – a gawn yn y gyfrol *Gwymon y Môr*. Ymwelodd y llong â phorthladdoedd fel La Palice, Ffrainc a Santa Cruz, prif borthladd Ynys Teneriffe, ac mae'r hanes, wrth i'r awdur dalu teyrnged i fyd natur yn nieithrwch ei ogoniant, yn syfrdanu'r darllenydd gyda'i mynegiant sydd yn ffeithiol ac yn emosiynol ar yr un pryd. Merch anturus a beiddgar oedd Eluned.

Mynnodd brofi bywyd i'r eithaf a chwiliodd am gyffro. Wrth i'r llong deithio trwy Fae Vizcaya, cododd storm ddychrynllyd. Diflannodd cyd-deithwyr Eluned i gyd o'r dec a llechu yn y cabanau, ond arhosodd y ferch o'r Wladfa ar y bwrdd a pherswadio capten y llong i'w chlymu wrth un o'r hwylbrenni. Safodd Eluned ym mhen blaen y llong i wynebu'r gwynt, ac felly, ar y dec, yr hwyliodd trwy daran a mellt a thonnau mawr y storm. Nid llenor a ddychmygai brofiadau rhamantus neu anturus o glydwch cadair esmwyth oedd hi: profiadau go-iawn a'i hymateb iddynt yw ei thestun.

Llyfrau taith yw *Dringo'r Andes* a *Gwymon y Môr* o ran eu cyfrwng. Mae rhyddiaith Eluned yn ddarluniadol ac yn farddonol. Mae patrwm episodig, naturiol i'r ddau waith. Serch hynny, nid gweithiau pytiog mohonynt, eithr llwyddodd yr awdures, yn enwedig yn achos *Gwymon y Môr*, i greu testunau sydd eto yn gyfanwaith. Seiliwyd y naill gyfrol a'r llall ar hanes teithiau ac anturiaethau ei hawdures ond yn y bôn rhyddiaith greadigol yw gweithiau llenyddol y ferch o'r Wladfa.

Cynnyrch ein cyfnod a'n hamgylchfyd yw pob un ohonom, ond wrth ddarllen y ddau destun a gyflwynir yma i gynulleidfa heddiw, anodd yw credu mai Cymraes ym mlynyddoedd cynnar yr ugeinfed ganrif sy'n siarad, disgrifio, trafod a dadansoddi ei phrofiadau ar ei theithiau i wledydd pell. Mae ei hanes mor fyw ac mor ffres ag erioed, a hyderwn y bydd cenhedlaeth newydd, ar ddechrau'r unfed ganrif ar hugain, yn cael yr un blas arnynt â'r darllenwyr cyntaf.

NODYN AR Y TESTUNAU

Penderfynwyd diwygio orgraff *Dringo'r Andes* a *Gwymon y Môr* er mwyn eu gwneud yn fwy hygyrch i ddarllenwyr heddiw. Am yr un rheswm twtiwyd ychydig ar yr iaith, a chysoni lle'r oedd angen, ond y nod oedd ymyrryd cyn lleied â phosibl â llais yr awdur. Ni thalfyrrwyd y testunau gwreiddiol o gwbl. Y golygyddion presennol ychwanegodd yr eirfa ac ambell nodyn esboniadol.

LLYFRYDDIAETH FER

Jane Aaron, 'Eluned Morgan a'r angen am wreiddiau', *Efrydiau Athronyddol* 61 (1998), 86-103.

W. R. P. George (gol.), *Gyfaill hoff. Detholiad o lythyrau Eluned Morgan* (Llandysul, 1972).

Dafydd Ifans, *Tyred Drosodd: Gohebiaeth Eluned Morgan a Nantlais* (Pen-y-bont ar Ogwr, 1977).

Dafydd Ifans, 'Syniadau crefyddol Eluned Morgan', *Y Traethodydd* 128 (Hydref 1973), 274-85.

Saunders Lewis, *Ysgrifau Dydd Mercher* (Llandysul, 1945), 84-92.

Guto Roberts & Marian Elias Roberts, *Byw ym Mhatagonia* (Caernarfon, 1993), 106-15.

R. Bryn Williams, *Eluned Morgan. Bywgraffiad a Detholiad* (Llandysul, 1948).

R. Bryn Williams, *Rhyddiaith y Wladfa* (Dinbych, 1949).

Ffynonellau eraill

Ceir nifer o gyfresi o lythyrau oddi wrth Eluned Morgan at wahanol ohebwyr yn yr Adran Llawysgrifau a Chofysgrifau, Llyfrgell Genedlaethol Cymru, Aberystwyth ac yn Adran y Llawysgrifau, Prifysgol Cymru, Bangor.

Dringo'r Andes

Ellen Griffith Jones, mam Eluned Morgan

Cyn y Dilyw

Ychydig dros bedair blynedd yn ôl, brithid colofnau newyddiaduron Cymru â hanes y llifogydd dinistriol ym Mhatagonia bell. Nid pawb sy'n gwybod, hwyrach, mor agos yw'r cysylltiad rhwng Cymru a Phatagonia, ond yn un o ddyffrynnoedd ffrwythlon y wlad eang honno mae dros dair mil o Gymry wedi sefydlu Gwladfa Gymreig ar lan yr afon Camwy, a hyd nes y daeth y dŵr dilyw roedd y dyffryn tawel yn ddarlun gwych o'r hyn allai diwydrwydd a dyfais y Cymro ei gyflawni mewn estron fro. A rhyw ymgais carbwl yw hyn o bennod i geisio disgrifio'r Dyffryn cyn ac wedi'r dilyw.

Fel un o blant cynhenid y wlad, ac fel un fu'n llygad-dyst o'r holl ddinistr a'r trueni, diau fod i mi gymwysterau arbennig, ond yn anffortunus mae eisiau cymwysterau eraill i ddisgrifio stormydd bywyd.

Cyn eich arwain drwy'r dilyw, hoffwn roi i chwi gipdrem frysiog o Ddyffryn y Camwy fel yr oedd *cyn* y dilyw.

Dyffryn bychan gwastad rhwng bryniau graeanog, yn rhyw drigain milltir o hyd wrth bedair o led, a'r afon Camwy yn rhedeg drwy'r canol: hen afon fawr, droellog, hamddenol pan yn ei hiawn bwyll, a'r helyg wylofus yn tyfu ar ei glannau gan chwarae mig â'r pysgod rhadlon ddeuant am wib i'r wyneb i weld yr haul.

Gwastad iawn yw'r dyffryn, a chyn ei sefydlu gan y Gwladfawyr roedd yn hollol ddi-goed, oddigerth y coed ar lannau'r afon. Ond erbyn blwyddyn y dilyw, roedd yno filoedd lawer o goed ar hyd a lled y dyffryn, wedi eu plannu gan y ffermwyr Cymreig yn ceisio gwneud eu cartrefle fel bythynnod gwynion Cymru yn nythu mewn llwyni coed. Ac yn wir, roedd golwg hapus, lwyddiannus arno: y ffermdai clyd o briddfeini neu gerrig; y caeau destlus; y berllan a'r ardd gylch y tŷ; y da porthiannus yn blewenna'r melysion; y ffarmwr diwyd yn dilyn ei arad ddwbl, yn hyderus baratoi ei dir erbyn y delai'r amser i fwrw'r had i'r ddaear; y plant ar eu ceffylau chwim yn cyrchu tua'r ysgolion mewn hwyl ac afiaith, yn chwarae mabolgampau ar y ffordd; y mân bentrefydd yn llawn brwdfrydedd gyda'u cyrddau llenyddol a'r corau yn dechrau ymgasglu ynghyd er paratoi ar gyfer y frwydr eisteddfodol oedd i fod yn ystod y gaeaf. Rhyw fywyd ac afiaith ym mhob peth, fel pe byddai ffawd yn dechrau gwenu ar yr hen Wladfa wedi llawer o helbulon a gorthrymderau. Ond diwrnod machlud haul oedd hi er hynny: 'Canys yn y dydd hwnnw y rhwygwyd holl ffynhonnau y dyfnder mawr, a ffenestri y nefoedd a agorwyd, a'r glaw a fu ar y ddaear ddeugain niwrnod a deugain nos.'

Dechreuodd y glaw ym mis Mai. Nid oedd neb yn synnu at y glaw ar y cychwyn, canys dechrau ein gaeaf ni yw Mai, a byddai'r glaw yn dod yn ei dymor a phawb yn paratoi ar ei gyfer. Ond yn y flwyddyn 1899, ni chafwyd ffordd sych, dramwyol o fis Mai hyd ddiwedd Tachwedd. Glawiai am ryw bythefnos yn ddwys ddyfal, yna delai'r haul allan yn ei ogoniant, a'r wybren las uwchben yn edrych mor hafaidd a siriol fel y gallesid tybied fod y cyfan drosodd am ysbaid maith. Ond ailddechrau wnâi cyn pen ychydig ddyddiau, nes erbyn canol Mehefin fod y dyffryn fel cors, a thrafnidiaeth a masnach wedi eu parlysu.

Yn araf ond sicr fe godai'r afon, a'r dŵr llwydfelyn yn corddi yn chwyrn ar ei ffordd tua'r môr. Dechreuai rhai o'r hen sefydlwyr ddarogan fod llif yn agosáu, canys cawsid llifogydd bychain ym mlynyddoedd cyntaf y Wladfa. Ond gwenu'n anghrediniol a wnâi'r mwyafrif, gan dybied mai rhyw dymor ychydig yn wlypach nag arferol ydoedd ac y deuai haul ar fryn eto. Ond dal i lawio roedd, a'r afon yn dal i godi ac yn y mannau isaf ar y dyffryn roedd eisoes wedi torri dros ei cheulannau, ond roedd y Dyffryn Uchaf, a'r mwyaf ffrwythlon, yn ddiogel hyd yn hyn. Roedd yno gannoedd o Gymry dewr yn gweithio ddydd a nos ar geulannau'r afon i gadw'r gelyn rhag dinistrio eu cartrefi clyd.

Nid oedd yr hin yn oer fel arferol, ac nid oedd chwa o wynt yn cynhyrfu mân donnau'r afon, nac yn sibrwd ym mrig y coed: yr wybren las, ddigwmwl wedi troi yn un cwmwl mawr, caddugol. Ni welwyd haul y dydd na sêr y nos am yn agos i bedwar mis. Disgynnai'r glaw o ddydd i ddydd ac o nos i nos mewn distawrwydd ofnadwy. Roedd hyd yn oed yr anifeiliaid fel pe'n deall fod rhywbeth allan o'i le. Ymgynullent yn yrroedd mawrion ar yr ucheldiroedd gan sgrwtian yn anfoddog yn y gwlybaniaeth oedd mor ddieithr iddynt. Cwynfanai'r defaid yn ddolefus ar y gwastadeddau corsog mewn hiraeth am ddaear gadarn a chorlannau diddos. A thrwy'r dyffryn i gyd roedd pob calon yn curo mewn pryder ac ofn.

Ar y 15fed o Orffennaf, ar nos Sul fythgofiadwy, disgynnodd y dinistr ar y dyffryn tawel gyda rhuthr dychrynllyd, gan ysgubo ymaith mewn ychydig oriau lafur ac aberth deng mlynedd ar hugain.

Noson ddu, ddi-loer, yn nyfnder gaeaf, a'r glaw yn dyfal ddisgyn, carlamai'r bechgyn glew ar eu ceffylau heinyf drwy'r cyfan, o dŷ i dŷ ac o bentref i bentref, a'r un oedd y gri ym mhob man: 'Ffowch am eich einioes, mae'r dŵr yn dod!'

Y tadau a frysient i'r caeau i gyrchu'r ceffylau i'w dodi yn y wagen, a'r mamau dychrynedig a godent eu rhai bychain o'u cwrlid clyd-gynnes, gan frysio i'w dilladu orau gallent; y gwŷr ieuainc a'r gwyryfon gasglent ynghyd y da i'w gyrru tua'r bryniau, rhag eu colli yn y dyfroedd. Ond pwy all ddisgrifio'r mudo rhyfedd hwnnw, dim ond chwarter awr o rybudd a geid yn aml a rhaid oedd ceisio gofalu am ymborth a dillad i gadw newyn ac oerni draw. Ond yn aml iawn, cyn y byddai'r wagen wedi cychwyn, byddai'r dŵr wedi cyrraedd – chwip ar y ceffylau ffyddlon, ac yna i ffwrdd am einioes, a'r dŵr dilyw fel mynyddoedd o'u hôl.

Nid hanes un person nac un teulu sydd yma, ond hanes tair mil, yn wŷr, gwragedd a phlant bychain. Ac i ba le roeddynt yn mynd, a sut le oedd eu lloches? Dim ond y bryniau moelion graeanog gylchynent y dyffryn, lle nad oedd cysgod coeden na gwrych, a chofiwch mai nos oedd hi, a'r glaw yn dal i dywallt yn ddidosturi ar y ffoaduriaid dychrynedig.

Roedd miloedd o anifeiliaid ar y bryniau erbyn hyn hefyd, a phob un yn dweud ei gŵyn yn ei iaith ei hun. Ond uwchlaw'r cyfan clywid sŵn y dinistrydd; rhuai fel llew ysglyfaethus ar ei daith drwy'r goedwig. Clywid y tai yn syrthio o un i un, a phob calon yn gofyn yn ei hing, tybed ai cartref clyd ei pherchen oedd hwnna, ac yn cofio am y mil myrdd creiriau teuluaidd na welid byth mwy.

Ond, drwy drugaredd, nid oedd llawer o amser na hamdden i feddwl. Roedd yn rhaid trefnu rhyw gysgod i'r gwragedd a'r plant, ac mewn llawer dull a modd y gwnaed hynny ar hyd a lled y dyffryn yn ystod misoedd y dilyw, yn ddigon amrywiol i ysgrifennu llyfr arnynt. Credaf fod trigolion gwledydd newyddion yn gyflymach eu hamgyffrediad gyda phethau'r bywyd beunyddiol. Dyfeisiant bob math o bethau i ddod allan o ddryswch neu benbleth – mae'r Ianci dyfeisgar wedi profi hynny y tu hwnt i amheuaeth erbyn heddiw.

Wele'r Wladfa bellach yn pabellu ar ben y bryniau, ac yn disgwyl am y wawr, ac ni fu gwylwyr mwy pryderus ar gaerau unrhyw wersyllfa erioed. Roeddynt yn dyheu am y wawr, ac eto yn ei hofni ag ofn mawr iawn. Fel pe mewn gwawd, fe gododd yr haul yn ei holl ogoniant arferol y bore cyntaf yma, ynteu ai fel cennad hedd a gobaith y daeth? Canys diau i'w belydrau siriol fod yn nerth i lawer calon ysig yn y dydd du hwnnw.

Rwy'n digalonni wrth feddwl tynnu'r tirlun, ddarllenydd tirion, mor amhosibl i'w sylweddoli ond i'r rhai fu'n dystion mud o'r trueni. Ond nid llawer o ddim ond dŵr oedd i'w weld yn ystod dyddiau cyntaf y lli: cyrhaeddai o fryniau i fryniau,

heb sôn am afon na chamlas, na thai na thiroedd, dim ond brig
y llwyni coed yma ac acw fel mân ynysoedd yng nghanol y
môr. Dadleuai'r plant â'i gilydd er ceisio penderfynu lle y
dylasai eu cartrefi fod. Byddai ambell dŷ cadarnach na'r
cyffredin wedi sefyll hwyrach, a dim ond y to a'r simneiau yn
y golwg. Pe daethai estron i ben y bryniau ar ddamwain, hawdd
fuasai iddo ddychmygu mai bae mawr oedd y dyffryn, yn llawn
o gychod pysgota, canys roedd yno lawer iawn o bethau yn
nofio ar wyneb y dŵr; ymddangosent o bell fel cychod, ond
pan elid i lawr i'r pentref agosaf, sef y Gaiman, lle nad oedd y
dyffryn ond rhyw ddwy filltir o led o fryn i fryn, ceid eglurhad
buan a thrist ar y cychod. Roedd pont fawr, gref yn croesi'r
afon yn y Gaiman, ac yn ystod dyddiau cyntaf y lli, cedwid
cwmni o ddynion ar y bont ddydd a nos, rhag fod y teisi
gwenith a'r teisi gwair, a'r dodrefn a'r celfi amaethu ddeuent yn
llu gyda'r dŵr yn ei blocio a'i hysigo. Ie, dyna oedd y cychod,
holl gynnwys y cartrefi clyd yn mynd tua'r môr.

Ffoasai ugeiniau o deuluoedd i'r Gaiman gan feddwl fod
pentref ar y llethr felly yn berffaith ddiogel, a dyna oedd syniad
y pentrefwyr hefyd, canys nid oeddynt yn gyffro mawr i
symud, ond yn gwneud eu gorau i gynorthwyo eu cyfeillion
anffodus.

Ond ar hanner nos y bu gwaedd: 'Wele mae'r dyfroedd yn
dyfod!' A bu'r dychryn a'r rhuthr mor fawr nes yr aeth yn
ddryswch difrifol, pawb yn ffoi heb geisio achub dim. Ond
cofiwch mor gul oedd y dyffryn fan hyn a'r dŵr wedi bod yn
cronni am ddyddiau, a phan dorrodd roedd fel Bae Vizcaya
mewn storm. Cyn pen yr hanner awr nid oedd ond rhyw
hanner dwsin o dai yn sefyll yn y pentref i gyd. Ysgubfa
ofnadwy oedd honno, ond cawn weld ei gwaith eto wrth fynd
ar i lawr.

Oni bai fod acen y Gymraeg i'w chlywed wrth deithio ar
hyd y bryniau, gallesid tybio fod llwythi lawer o hen frodorion
y wlad wedi dod ar ymweliad ac yn pabellu ar yr ucheldiroedd,

canys dyna oedd i'w weld ar hyd y trigain milltir, pebyll o bob lliw a llun, gwagenni a cherbydau a chorlannau wedi eu gwneud o ddrain y paith lle roedd y merched a'r plant yn godro'r da a'r dynion yn dal eu ceffylau ac yn corlannu'r defaid y nos. Canys nid pobl i blethu dwylo mewn anobaith a dweud fod y byd ar ben yw Cymry Patagonia, ond pobl wedi wynebu llawer storm ac wedi dysgu gwneud y gorau o'r gwaethaf.

Wedi teithio ryw dri deg milltir ar i lawr o ben uchaf y dyffryn, deuir i Drelew, prif bentref masnachol y Camwy, a therfyn ein rheilffordd fechan. Dyna'r unig fan drwy'r dyffryn achubwyd rhag y dinistr, a thrugaredd fawr oedd hynny.

Ar hyd y ffordd arferol nid oes ond rhyw naw milltir rhwng Trelew a Rawson, prif dref y Diriogaeth ac eisteddfa'r Rhaglawiaeth, ond i fynd yno ym misoedd y lli, rhaid oedd teithio dros y paith anial am ddeng milltir ar hugain, ac wedi cyrraedd yno, dyna olygfa druenus a geid.

Dyma oedd Canaan yr hen wladfawyr 35 mlynedd yn ôl. Yma y dechreusant sylweddoli rhai o ddyheadau a breuddwydion eu bywyd. Yma yr adeiladasant eu bythynnod cyntaf o dywyrch a gwellt, a'u toi â brwyn a helyg, gan dorri'r coed a chasglu'r brwyn, a dewis eu tiroedd heb ofyn caniatâd i neb pwy bynnag.

Yma y gwelsant yr Indiaid gyntaf, mintai fawr ohonynt yn cyrraedd rhyw nawngwaith tawel, a golwg wyllt, beryglus arnynt, gyda'u gwisg groen a'u gwallt du hir, a'u meirch nwyfus wedi eu gwisgo mor orwych gyda charpedau amryliw, a ffrwyni a gwarthaflau arian yn fflachio ym mhelydrau'r haul. Bu dychryn mawr yn y gwersyll bychan gwladfaol y dydd hwnnw. Anodd gwybod syndod pwy oedd fwyaf, eiddo'r Indiaid wrth weld cymaint o bobl wynion ynteu eiddo'r Cymry wrth weld cymaint o bobl felyn. Ond dydd gwyn iawn fu yn hanes y Wladfa er hynny, dydd ffurfio cyfeillgarwch rhwng yr Indian a'r Cymro bery'n bur, mi obeithiaf, tra bo brodor yn troedio'r peithdir.

Eithr ymhell cyn blwyddyn y lli, mudasai'r Cymry o un i un i'w ffermydd ar hyd a lled y dyffryn, gan adael yr hen gartref cyntefig i fynd yn eiddo'r Sbaenwyr a'r Eidalwyr. Roedd wedi tyfu yn dref weddol lewyrchus, a channoedd o dai hardd ynddi, a chan ei bod wedi ei hadeiladu ar lan yr afon, roedd perllannau a gerddi hyfryd o'i chylch ym mhob man.

Cyrhaeddodd y dŵr i Rawson tua'r 22ain o Orffennaf; roedd wedi cael wythnos o amser i gasglu ei nerthoedd ynghyd, a rhuthrodd ar y dref fel bwystfil rheibus ar ei ysglyfaeth. Roedd yn noson stormus, ddrycinog; chwythai'r gwynt yn ei anterth, dylifai'r glaw yn ddidrugaredd, rhuai'r dŵr fel taranau, clywid sŵn y tai yn cwympo o un i un fel sŵn magnelau lawer, fel erbyn toriad gwawr nad oedd mur yn sefyll ar yr holl wastadedd, dim ond tomenni o falurion. A chan fod yn y dref lawer o fasnachdai, bu'r golled yn ddinistriol iawn i lawer Eidalwr diwyd, canys un prysur iawn yw'r Eidalwr. Mae i fyny fel ehedydd yn y bore, a phob amser yn canu, ac fel y Cymro mae ei gân yn wastad yn y cywair lleddf. A pha ryfedd, onide: mor helbulus a thrist yw ei hanes, a chymaint o filoedd ohonynt sy'n alltudion o'u gwlad, a'u hiraeth yn angerddol am gael dychwelyd eto'n ôl cyn delo'r alwad olaf. Dyhead ac uchelgais pob Eidalwr yw crynhoi digon o arian i fynd yn ôl i'r Eidal i dreulio dyddiau henaint, ac fe synnech cyn lleied sydd yn ei fodloni, canys gall Eidalwr fyw yn hapus a chysurus lle byddai Cymro neu Sais farw o newyn. Nid yw byth yn digalonni, plentyn yr haul ydyw, ac mae gwenau'r haul yn wastad ar ei wyneb.

Melys cael dweud, yn sŵn y storm fel hyn, na ddigalonnodd Cymry'r Gamwy ychwaith, er mor anobeithiol yr olygfa o ben y bryniau moelion. Wedi i'r hen afon ymbwyllo, ac i'r ffurfafen lasu, ac i'r dyffryn atgyfodi o'i ddyfrllyd fedd, roedd y Wladfa fel cyniweirfa'r morgrug, pawb wrthi â'u holl egni yn cario priddfeini a choed, brwyn a helyg i ben pob bryn ac yno yn adeiladu bwthyn unnos i lechu hyd doriad gwawr y dyfodol gwell. Ac ni fu eu ffydd yn ofer; mae'r nef yn gwenu heddiw ar blant y tonnau, a grawn aeddfed Ionawr yn gwledda'n helaeth ar waddod y dilyw.

Wedi'r Dilyw

Hwyrach nad anniddorol i'r darllenwyr fyddai cael clywed sut yr ysgrifennwyd yr hyn sy'n dilyn, ac o dan ba amgylchiadau.

Hanes pleser-daith i wlad y mynyddoedd ydyw, myfi yn ieuanc a hoyw, ac yn gwybod fawr ond am ochr euraidd bywyd, yn cychwyn fy nhaith i'r Andes mewn gwynfyd, gan freuddwydio a dychmygu am y rhyfeddodau oedd o'm blaen; yn treulio fy noson olaf dan gronglwyd yr hen gartref urddasol, wnaed mor gain a thlws drwy lafur cariad tad a mam, rhu'r môr yn dod gyda'r awel gan gasglu miwsig rhwng aflonydd ddail yr aethnen. Murmur yr hen afon a'm suodd i gysgu er yn blentyn, heno eto'n dweud yr un stori felys.

Canu'n iach fore trannoeth a 'chwifio'r cadach gwyn' yn nhro ola'r ffordd. Teithio am fisoedd, crwydro miloedd o filltiroedd ôl a blaen, gweld rhai o olygfeydd godidocaf y byd, cael cip ar fywyd gwell a dyheadau uwch a dod 'nôl i'r hen gartref i geisio sylweddoli rhai o'r breuddwydion, a hwyrach, wedi gorffwyso ac ymdawelu o flinderon y daith, ddanfon gair tros y don at fy nghydieuenctid yng Nghymru i ddweud wrthynt beth welais yn yr Andes. Eithr 'dyn sy'n cynllunio, ond Duw sy'n trefnu.' Cyn rhoi pin ar bapur, cyn dadebru o gyfaredd swynion yr Andes gwyn, cyn cydio mewn bywyd fel y darllenaswn ef yng nghysgod y mynyddoedd, roedd cartref fy mebyd yn garnedd o adfeilion, a minnau'n ffoadur digysgod a digartref ar lethrau'r bryniau, tra dyffryn tawel y Camwy, gyda'i ffermdai clyd a'i fân bentrefydd yn orchuddiedig â dŵr, a dim i'w weld ond brig y coed fel mân ynysoedd yng nghanol y môr – y nef fel pe wedi troi cefn ar y fangre fu gynt mor llewyrchus; y ffurfafen yn gwgu'n guchiog ac yn dal i dywallt y glaw yn ddidrugaredd. Tair mil o Gymry digartref yn byw mewn pebyll ar fryniau graeanog y Dyffryn, a phopeth oedd annwyl ganddynt wedi ei ysgubo ymaith tua'r môr.

Ychydig iawn o eiriau fyddai'n ddigon i ddisgrifio fy mywyd yn ystod y misoedd dilynol, mewn cychod, mewn dŵr, mewn llaid, mewn malurion yn chwilota am weddillion; weithiau mewn dillad sych, yn amlach mewn dillad gwlybion. Gweld y dŵr yn cilio, a'r alanas yn dod i'r golwg, murddun ar ôl murddun yn ymgodi fel ysbrydion y dyfnder, a'r celfi fu gynt yn drysorau teuluaidd yn sglodion ar hyd y dyffryn; y caeau destlus lle gynt yr ymborthai'r da mewn llawnder yn rhychau ac agennau hyll, a'r brastir du dyfasai wenith gorau'r byd yn gwneud mân fynyddoedd yng ngwaelod yr Iwerydd, a dim ond y clai melynwyn, gyda gweddillion gwreiddiau y tyfiant rhonc fu gynt yn glasu'r dyffryn.

Wedi misoedd o ddisgwyl am ddaear sych a gwenau haul Gwanwyn, daeth yn amser i bawb ymysgwyd o'r tristwch a'r dychryn, a cheisio codi bwthyn unnos o'r gweddillion adawyd gan y dyfroedd; minnau fel un o'r llu euthum gyda'r gweithwyr i'w cynorthwyo yn ôl fy ngallu, a chan nad oedd wiw colli amser i deithio'n ôl a 'mlaen bob nos tua'r bryniau, codwyd caban coed i Eluned gael llechu yno dros nos, a gweini ar y gweithwyr liw dydd. Byddant hwy yn flinedig ar fachlud haul wedi bod mor ddiwyd drwy wres y dydd, a thaenai cwsg ei fantell yn dyner trostynt hyd doriad gwawr drannoeth.

Llechwn i yn fy nghaban coed, a chwibanai'r gwynt ei leddf hwiangerdd drwy'r tyllau a'r rhigolau oedd yn yr estyll. Yn y gongl fwyaf cysgodol roedd gennyf ford gron a channwyll wêr mewn canhwyllbren welsai ddyddiau gwell. Roedd hen foncyff helyg yn gwneud eisteddle purion. Fy unig ofid oedd fod y gwynt braidd yn hyf ar fy nhipyn cannwyll, ac yn fy ngorfodi i wastraffu *matches*, a'r rheini'n brin ac yn anodd eu cael.

Nid yw'r darlun yn ddeniadol iawn, i oes sydd yn glythu mewn moethau, ond treuliais rai o oriau dedwyddaf fy mywyd yn y gell gyfyng honno, oriau euraidd wnaeth i mi anghofio'r tristwch a'r trueni, y tlodi a'r caledi oedd o'm blaen. Diolch nad oes gell all gadw enaid; tra'm pabell bridd rhwng muriau coed, ehedai fy enaid mewn gorfoledd ar frigau gwyn yr Andes, a drachtiai yn helaeth o ysbryd y mynyddoedd, heb gofio dim am flinder corff na'r dyfodol tywyll oedd yn hylldremu o ganol cors anobaith fy nghartref adfeiliedig. Sugnwn nerth a gobaith wrth syllu ar Orsedd y Cwmwl. Mae'r Orsedd yn ddigon gwyn i gymylau'r nef ddisgyn yn esmwyth arni i orffwys ennyd cyn tywallt eu bendithion ar ddaear sychedig. Ac fel yna o nos i nos yng ngolau gwan fy nghannwyll wêr, a rhwng bregus furiau fy mwthyn coed, yn nistawrwydd nos y paith, y cefais fy nghip, mewn atgof, ar Gopa'r Andes.

Y Cychwyn

Mae llawer yn sôn am yr Andes fel y byddai hen emynwyr Cymru yn sôn am 'India ac aur Periw' trwy ddychymyg. Dychmygais innau lawer er yn blentyn am fynyddoedd mawr Deheudir America, a hiraeth lond fy nghalon am gael syllu â'm llygaid fy hun ar eu holl fawredd a'u gogoniant. Llawer mae calon dyn yn dymuno mewn oes, onide? Ac o, mor ychydig o'r dymuniadau hynny sydd yn cael eu sylweddoli! Ond fe geir ambell un yn ei holl felyster a'i wynfyd, a theimlwn fod yr un hwnnw yn gwneud i fyny am lu o siomedigaethau. Felly finnau gyda'r daith i'r Andes, breuddwyd wedi ei sylweddoli yn ei berffeithrwydd fu'r darn yma o'm hanes.

Ond pan yn meddwl am y testun sydd gennyf i draethu arno, fel y dyhea fy enaid am iaith a thalent i wneud cyfiawnder ag ef! Eithr hyd nes y daw rhyw freuddwydiwr i gerdded yr un llwybrau â mi ac i ddanfon ei weledigaethau fel cenhadon y wawr, rhaid i Gymry ieuainc Gwalia geisio ymfodloni ar ddarlun carbwl a thruenus o amherffaith.

Ond ofni roeddwn y buasai'r Andes wedi ymwareiddio llawer cyn y delai'r Gweledydd, ac yna y collasid am byth hanes yr hen fynyddoedd godidog fel roeddynt yn y dechreuad. Y syniad yna yn unig a'm symbylodd i gychwyn ar orchwyl mor anrhaethol uwchlaw'm galluoedd: y dyhead angerddol am i Gymru gael rhan, pe ond gronyn eiddil, o'r gwynfyd deimlais i wrth deithio'r anialdiroedd distaw, glân, a gwylio'r haul yn gwisgo'r peithdir â mantell o dân, a'r lloer yn ei goroni ag arian, a chael syllu ar fynyddoedd a rhaeadrau a llynnoedd a choedwigoedd na fu nemawr i lygaid dynol yn gorffwys arnynt erioed.

Debygaf fod mannau fel hyn yn brin yn ein byd erbyn heddiw. Mae cenhedloedd y ddaear yn cyniwair ac yn dylifo i bob mangre ddistaw, gysegredig gan chwalu'r tlysni a'r swyn â dwylo halog y byd. Mae'r blodyn gwyllt fu'n gwasgaru ei berarogl ar allor ei luniwr, yn colli ei wenau ac yn marw o dor calon am ei lu anwyliaid sy'n sathrfa dan draed. Mae'r ednod amryliw eu plu fu'n ymbincio yng nglesni'r dŵr ac yn hyfforddi eu rhai bychain yn ddiofn, a'r côr asgellog fu'n llanw'r coedwigoedd â'u mawl, maent oll yn ffoi mewn dychryn pan ddelo'r hwn a luniwyd ar ddelw'r nef i feddiannu eu hetifeddiaeth!

Nid wyf fi elyn i wareiddiad, ond o, y trueni fod yn rhaid aberthu cymaint er ei fwyn! Eithr a yw'r rheidiau hyn i gyd yn gyfiawn? Ymddengys i mi weithiau ein bod yn colli pethau gwell wrth geisio am yr ymarweiddiad yma. Pan oedd Cymru'n wledig, syml a thawel, y gwnaeth ei gwaith gorau. Nid yw tyrru i'r dinasoedd a'r pentrefydd wedi gwella dim ar hen wlad ein tadau yn ystyr orau'r gair. Mae'n rhaid i bob enaid cryf wrth dawelwch ac unigedd i wynebu ei fywyd a dewis ei frenin. Mae yna gyfnod unig ym mhob bywyd arwrol, nid unigedd yr anial a'r mynydd bob amser hwyrach: gall fod yn unigedd rhwng muriau du'r carchardy, neu eiddo'r alltud ymhell o'i fro, ond mae yno dawelwch i ddwysfyfyrio ac i gasglu nerth ysbrydol, ac ennill buddugoliaethau a'u galluoga i adael y byd yn well ac yn burach nag y cafwyd ef. Oni bydd hyn yn amcan a nod pob bywyd, yn ofer ac am ddim y llafurir.

Maddeued y mwyn ddarllenydd i mi am grwydro oddi wrth fy ngwers. Rwy'n addo mynd yn syth at fy ngwaith yn awr, a chychwyn i'r Andes ar fy union ar gefn fy march gwyn, a theithio cyn dod adre'n ôl rhyw 2500 o filltiroedd, a gweld rhai o olygfeydd mwyaf godidog y byd.

Rwyf wedi bod yn ceisio dweud wrthych o'r blaen fath le yw'r Wladfa Gymreig. Ond pe bawn yn dweud ar hyd fy oes, fyddech chwi fawr doethach, gan ei fod yn berffaith amhosibl i chwi ddychmygu am le mor annhebyg i ddim welsoch erioed. Ond fe gymeraf yn ganiataol eich bod yn cofio prif ffeithiau sefydliad y Wladfa ar y Gamwy, canys y mae'n rhaid i ni'n awr adael y Dyffryn hwnnw, a theithio 400 milltir drwy anialdiroedd difrifol cyn cael cip ar gyrrau'r Andes.

Y mae man uchaf y dyffryn yn wersyllfa gyffredinol gan y rhai sydd yn cychwyn tua'r Andes; bydd yno lawer o wagenni gyda'i gilydd weithiau. Felly y bu pan oeddem ninnau yn cychwyn, roedd yno ddeg o wagenni, a chwe cheffyl ym mhob un.

'Deuparth gwaith yw dechrau', deuparth taith yw cychwyn hefyd. Mae pob peth yn mynd yn hwyliog ar ôl cael cychwyn iawn. Gelwir y wersyllfa gyntaf yn 'Ffos Halen', a bydd yno gynulliad mawr yn ystod misoedd yr haf. Yno y mae pawb yn taclu ei wagen yn gryno, ac yn diosg ei wisg glasurol, wareiddiedig, ac yn gwisgo amdano yn wreiddiol Batagonaidd, neu, mewn geiriau eraill, addasu ei hun i'r daith. Mae ambell gyfnewidiad yn chwerthinllyd i'r eithaf, atgoffai fi am lawer hysbysiad Seisnig welswn mewn newyddiaduron a misolion, *Before and After*. Er bod yn y Ffos Halen lawer o wagenni, nid oedd yn ein cwmni arbennig ni ond un wagen a phump o bersonau, Bonwr Rhys Tomos yn gofalu am y wagen, Caradog yn gyrru'r ceffylau, a Mair (merch Rhys Tomos) a minnau ar bob i geffyl.

Wrth edrych dros fy nyddlyfr, gwelaf y nodyn canlynol am y Ffos Halen: 'Tachwedd 25ain. Cyrraedd hyd yma tua 2 o'r gloch, y marchogwyr ar newynu, a'r wagenni a'r bwyd yn hir yn dod, ond wedi iddynt gyrraedd, hei ati i wneud tân a hel y gêr coginio o bob cyfeiriad. Cael cwpaned o de ardderchog a thafelli o fara ymenyn teilwng o unrhyw was ffarm, a welsoch chi erioed mor felys oeddynt.' Llawer gwigwyl (neu *picnic* ys dywed Dic Shon Dafydd) gynhelir yng Nghymru yn ystod misoedd yr haf, a hwyrach fod rhai o'm darllenwyr yn meddwl mai rhywbeth felly oedd y pryd bwyd hwnnw yn y Ffos Halen, y lliain claerwyn a'r llestri tsieni a phob danteithion, a'r boneddigesau yn ymgystadlu â'r blodau yn eu gwisgoedd amryliw, a'r goedwig yn moesymgrymu'n wylaidd, gan daenu ei chysgod gwyrddlas dros y cyfan. Na, nid fel yna y teithir anialdiroedd Patagonia. Doedd dim coeden yn cysgodi rhag gwres haul canol haf, pridd llwyd y Wladfa yn cymryd lle y lliain claerwyn, a phawb a'i gwpan dun yn mwynhau ei de wedi ei wneud yn y tegell.

Roedd Mair a minnau wedi ein breintio â chysgod pabell i lechu'r nos, a mawr yr helynt y noson gyntaf yn gosod honno i fyny, a ninnau'n dysgu sut i droi ynddi heb ddod i wrthdrawiad. Erbyn i ni gael trefn ar bethau, a cherdded o gwmpas i ystwytho tipyn ar ein cymalau blinedig, roedd yr haul ar fynd i lawr, a ninnau'n barod i'n swper. Roedd y cawl wedi bod yn berwi'n ddyfal a dyna bawb i 'mofyn ei blât tun a'i lwy haearn, ac eistedd yn gylch a gosod y crochan cawl yn y canol, a phawb i helpu ei hun. 'How vulgar,' meddai ambell fonesig fursennaidd. Ond gwelwch draw yng nghyfeiriad y dwyrain. Beth sydd yn gwneud i bawb dewi'n sydyn gan syllu mewn edmygedd mud? Mae'r haul wedi ffarwelio hyd doriad gwawr yfory, ond wedi gadael ei gysgod megis yn ernes o'i ail ddyfodiad. Mae'r wlad fawr, wastad yn ymagor o'n blaenau, a'r hen afon Camwy yn ymdroelli ac yn ymddolennu ar ei thaith tua'r môr, ac wele'n codi megis o eigion y môr hwnnw yr hyn ymddengys fel pelen o dân ysol. Mae'n symud yn raddol, raddol, ond mor *ofnadwy* o ddistaw yw ei holl symudiadau, mae'n gwneud i'r rhai sy'n syllu ddal eu hanadl, nid mewn braw, ond mewn rhyw barch a chysegredigrwydd nad esbonnir mewn geiriau. Ond wele frenhines y nos wedi esgyn i'w gorsedd, ac mae'n edrych yn ogoneddus, a holl lu'r wybren yn brysio i dalu teyrnged iddi. A ninnau, y cwmni bychan ar ganol y paith mawr unig, yn methu peidio codi ein llef mewn cân o fawl i Grëwr y cyfan.

Gorffwys yn gynnar yw'r rheol ar y paith, a buan roedd pawb wedi taclu ei orffwysfan, y dynion yng nghysgod y llwyni drain, a ninnau ein dwy yn y babell. Nid oes eisiau goleuni trydanol ar beithdiroedd Patagonia. Mae yna oleudy mawr i fyny fry, ac mae'r gwyliwr ar y tŵr wedi trimio ei lamp a gloywi ei wydr mor dda fel na fuasai golau trydanol (y darganfyddiad mawr diweddaraf) ond megis cannwyll frwyn wrth ei ochr.

Distawrwydd y paith yn y nos, pwy all fynegi amdano na'i egluro? Peth i'w *deimlo* ydyw, ac nid i ysgrifennu na siarad amdano. Anodd peidio breuddwydio aml i freuddwyd tlws wrth syllu ar yr wybren serog uwch ben, a theimlo ei bod mor ddistaw fel os gwrandawn yn astud y daw i ni ryw genadwri o arall fyd. Llawer ddychmygais wrth syllu a gwrando felly, fath le oedd y 'tu hwnt i'r llen' ddisglair yna? Beth oedd fy hen gyfeillion aethant adref o'm blaen yn ei wneud? Hoffwn gredu fod yr ysgol welsai Jacob gynt wedi ei gosod yn ein gwersyll bychan ninnau, a bod yna wylwyr tyner yn esgyn ac yn disgyn ar hyd-ddi rhag digwydd inni niwed.

Yn sŵn murmur yr hen afon a chyfarthiad ambell lwynog ddaethai o'i ffau i geisio ysglyfaeth, a chwhwfan dolefus ambell golomen, buan y taena cwsg ei fantell dros y teithwyr blin, a chwsg melys, iachus yw. Mae'n rhoi ynni ac ysbrydiaeth newydd i bawb a'i mwynha.

Ond daw terfyn, rhy fuan gan rai ohonom, i'r cyntun hyfryd hwn, pan fydd y cantwr llwyd yn dechrau trimio ei edyn, a chymryd ei gyweirnod, a'r hwyaid gwylltion yn cael eu trochfa foreol, daw gwaedd o gysgod y llwyn, '*All hands on deck*', mae'r tegell wedi berwi a'r ceffylau yn dod i mewn. Nid gwiw oedd anufuddhau i'r waedd, canys gwyddem mai'r gosb am anufudd-dod fyddai dymchwel y babell! Deng munud fan bellaf yw'r amser ganiateir i ymwisgo, a rhaid gofalu fod y cwrlid wedi ei raffu'n gryno yn barod i'w roi yn y wagen. Gwiriem yr hen air bob bore, 'Cyfod i fyny dy wely a rhodia.'

Mwynheir y borefwyd yn wastad ar y paith. Nid oes yno neb a'i lygaid yn bŵl ac yn pigo ei fwyd fel aderyn. Mae mor hyfryd ar doriad gwawr hefyd, cyn gwres a lludded y dydd, pawb yn llawen ac yn prysur gynllunio taith y dydd. Os bydd pethau'n dod yn hwylus, byddir yn barod i gychwyn ar godiad haul.

Mae clywed cyfarthiad y llwynog o bell yn burion, ac yn amodi at swyn y paith yn y nos, ond os daw yn ymwelydd agos, bydd yno wacter mawr yn y gwersyll fore trannoeth. Caem gyfle ar hwyaden neu ŵydd wyllt weithiau yn ystod y daith, ac wedi noswylio a thorri newyn, byddem yn prysur bluo'r ysbail yng ngolau siriol tân y gwersyll, gan ganu a dweud straeon, a phenderfynu drwy dugel pwy gâi rostio'r ŵydd ar doriad gwawr drannoeth. Ond ow, y siomiant chwerw aml fore! Er pob dyfais i guddio'r trysor, byddai greddf y cadno wedi ein rhagflaenu, a Madyn wedi cael swper wrth fodd ei galon. Roedd colli brecwast blasus yn beth digon diflas, ond cofio am y dyfal bluo wnâi'r golled mor chwerw.

Wel, dyma ni'n cychwyn o'r wersyllfa gyntaf, gan adael y dyffryn o'n holau, ac yn wynebu ar y paith anial a sych. Bydd llawer tro ar fyd cyn y deuwn yn ôl i olwg hen ddyffryn ein mabwysiad. Bydd yna bennod newydd wedi ei hysgrifennu yn llyfr ein bywyd. Rhyw deimlad o hiraeth ddaeth trosom er gwaethaf pob cywreinrwydd. Beth fyddai ein hanes ymlaen yna yn y diffeithdiroedd dieithr? Beth fyddai hanes cartref pan ddychwelem? A fyddai pawb yno? A gollem ni ambell wyneb oedd yn ymblethedig â dyddiau ein plentyndod?

Codwn o'r dyffryndir i'r peithdir dreiniog, gan droi yn ôl yn ddistaw-ddirgel i gael un cipdrem ar yr hen afon sydd yn pasio drws ein cartref. Roedd yr hen afon wedi bod yn ymblethedig â'm holl fywyd; roeddwn wedi'm suo i gysgu bob nos ym miwsig ei dyfroedd; gwelais y wawr yn troi ei dŵr llwydaidd fel enfys brynhawn, a'r 'lloer yn ariannu'r lli' nes gwneud drych gogoneddus i'r wybren serog uwchben; gwelais eira'r Andes wedi rhewi yn fynyddoedd ar ei bron, a gwres haul canol dydd yn datod y cwlwm rhewllyd, a'r mân fynyddoedd yn mynd fel llynges fuddugoliaethus tua'r Iwerydd. Wrth yr hen afon y dywedwn fy holl gwynion a'm cyfrinion. Ar ei glan y cefais rai o freuddwydion melysaf fy mywyd, ac wrth wylio'r pysgod yn ymbrancio ar fachlud haul y dechreuais holi am ryfeddodau'r dyfnder, ac wrth wrando ar iaith natur yn y nos y deuthum i edrych ar bob deilen gain a phob blodeuyn pêr fel hen gyfaill. Daeth tymhorau'r flwyddyn yn fil mwy diddorol na'r un llyfr ysgrifennwyd erioed, felly nid rhyfedd ein bod yn tristáu, canys plant y Camwy oeddem i gyd, wrth ffarwelio â hen gyfeillion mor gu, a diau i aml saeth weddi esgyn tua'r orsedd wen am nodded nef dros ein Gwladfa ac arnom ninnau tra ar ein taith i estron fro. A thithau, fwyn ddarllenydd, os teithiaist gyda ni i gwr y daith, tyred bellach i gydsyllu ar bigynnau gwynion yr Andes pell, a'r iâ oesol tan belydrau llachar yr haul fel pe'n adlewyrchu gwlad yr haul tragwyddol.

Croesi'r 'Hirdaith'

Gadewais chwi mewn lle hallt braidd yn y bennod ddiwethaf, canys cychwyn o'r Ffos Halen roeddem, a thipyn o hiraeth dirgelaidd yn aflonyddu arnom, ond unwaith y collwyd golwg ar yr hen afon, roedd ein holl fryd a'n diddordeb yn yr hyn oedd ymlaen.

Taith fer, ddiflas wnaed y diwrnod cyntaf ar ôl gadael yr afon, dim ond drain, drain diddiwedd, nes blino o'r llygaid ar yr unffurfiaeth. Wrth edrych dros fy nyddlyfr, gwelaf y nodiad canlynol am y daith: 'Cyrraedd y Campamento am dri o'r gloch, ac o bob lle diffaith, diflas, gwyntog, anniddorol, dyma frenin y teithiau'; hen fryn graeanog, moel, heb gymaint â chysgod twmpath, ac islaw, yr hen afon i'w gweld yn ymdroelli'n braf dan gysgod yr helyg, a ninnau yn rhostio ac yn sychedig, ond dim modd mynd â'r wagenni i lawr, dim ond danfon y ceffylau a chario'r dŵr mewn costrelau at angen y gwersyll. Cafwyd cryn hwyl yn ceisio dodi'r babell i fyny yng nghanol storm o wynt cethin, a cheisio ymladd am damaid o fwyd â'r cawodydd tywod oedd yn chwyrnellu o'n cwmpas. Ond mi gredaf na chafwyd erioed well blas ar fwyd mewn unrhyw blasty moethus.

Nid oedd yn y daith drannoeth ddim neilltuol, ond ein bod ni'r marchogwyr wedi mynd gyda'r afon, gan adael y wagenni i fynd dros y paith, ac i gyd-gwrdd ar ddiwedd y dydd. Cawsom ambell le digon peryglus ar y daith hon, ond roedd hynny yn atodi at ei swyn.

Tua hanner y ffordd gwelsom fwthyn bugail ar ochr ddeheuol yr afon. Bachgen o Gymro a adwaenom yn dda oedd ei breswylydd. Penderfynwyd os oedd yno ryw fath o gwch ein bod yn mynd i groesi. Felly fu, rhoddwyd gwaedd, atseiniai'r creigiau cylchynol, 'Cwch!' Gwelsom rywun yn cyrchu tua'r afon, ond nid y Cymro ieuanc ddisgwylid, ond swp o ddynoliaeth can ddued â glo Cwm Rhondda. Bu peth petruster ym mha iaith y cyfarchem y gŵr dieithr hwn. Penderfynwyd ar y Sbaeneg, a bu lwyddiannus. Nid oedd ein cyfaill gartref, ond roedd i ni groeso i ddod trosodd a chael cwpaned o de. Sut gwch oedd ganddo? O wel, cwch iawn, dim ond i un dywallt allan tra byddai'r llall yn rhwyfo, ac fe elem yn gampus! Rhwng y dyn du a'r te a'r cwch roedd y swyn yn angerddol, a phenderfynwyd yn unfrydol ein bod yn croesi. Erbyn i'r cwch gyrraedd atom roedd hanner ei lond o ddŵr, a dyna lle buom am un ysbaid yn prysur ddihysbyddu, ac yna gosodwyd ni fel rhes o ddefaid, pob un ar ganol y cwch, gyda gorchymyn pendant i beidio symud, un dyn ym mhen ôl y cwch gyda'i rwyf, ac un arall yn y pen blaen gyda'i fwced, a dyna ni'n cychwyn. Sut oeddem yn teimlo? Wel, ardderchog, pob gewyn ar ei eithaf dynn, a phob llygad yn perlio. Chawsom ni ddim trochfa yn y diwedd, ond pawb yn glanio'n ddiddos ac yn llawn hwyl a chywreinrwydd.

Ni ddifethaf y bwthyn unig drwy geisio rhoddi disgrifiad ohono. Y peth cyntaf dynnodd fy sylw oedd helygen werdd yn tyfu y tu ôl i'r tŷ, gan estyn ei breichiau wylofus hyd at y trothwy, ac yno roedd mainc wreiddiol wedi ei gosod o dan ei chysgod pleserus, ac fe wyddwn yn reddfol mai cornel oedd hon i'w halogi â mwg y bibell swynhudol. Collodd yr helygen ei holl farddoniaeth, ac euthum dros y trothwy i ferwi'r tegell, a dyna de bythgofiadwy oedd hwnnw, gyda'r bwrdd a'r llestri mwyaf gwreiddiol allai calon ddynol ddychmygu. Wrth ganu'n iach â'n cyfaill newydd, roedd arnaf fi eisiau rhoddi diolch sylweddol iddo, ond dywedai un o'r cwmni wrthyf mai dyna'r sarhad mwyaf allwn roddi arno. Pleser a balchder bugeiliaid y paith yw cadw tŷ agored i bawb a ddaw – pennawd i'w gofio wrth basio.

Roedd yn nos arnom yn cyrraedd y gwersyll, ac er ein bod wedi blino, eto roedd y daith wedi bod yn ddiddorol a hwyliog.

Chwith iawn oedd dod yn ôl i'r drain a'r sychder ar ôl bod yn mwynhau ireidd-der glannau'r afon. Roedd yn ddiwrnod gorffwys drwy'r dydd drannoeth, gan mai teithio'r nos oedd y rhaglen nesaf, felly nid oedd angen ysgwyd o'r nyth mor blygeiniol. Mwynhawyd y borefwyd gan bawb, dim eisiau rhuthro ymaith i ddal y ceffylau a phacio mewn brys, ond pawb yn mwynhau ei hun mewn tangnefedd.

Pan oedd yr haul yn machlud yn y gorllewin draw roedd pob wagen yn barod. Trwy ein bod yn teithio'r nos penderfynodd fy nghyfeilles a minnau mai gwell fuasai swatio yn y wagen, ac felly paciwyd ni yng nghanol y celfi fel dwy sach wlân, a chyn ein bod hanner y ffordd roeddem yn edifarhau mewn sachliain a lludw inni erioed roddi troed yn yr hen wagen ysgytiol. Roedd yn noson lawn lloer, ac o roedd yn hyfryd teimlo'r awel iraidd ar ôl arfer teithio yng ngwres y dydd! Roedd y gyr ceffylau wedi mynd ymlaen, a chlywem sŵn y clychau yn dod gyda'r awel. Weithiau, disgynnai'r marchogwyr i wneud tanllwyth o dân i ymdwymo a gorffwys. Ond ymlaen yr elem yn ddyfal, ddyfal ar hyd gydol y nos, môr o ddrain o'n cwmpas am filltiroedd lawer, a'r mil myrdd sêr yn gwenu'n siriol arnom. Ond heriaf unrhyw fardd dan haul na lloer i gyfansoddi llinell o farddoniaeth tra'n teithio mewn wagen ar draws 'hirdaith Edwyn', er ei bod yn llawn lloer a natur yn ei holl hudoliaeth o'i amgylch.

Pan gaem ambell ddarn gwastad o ffordd byddem yn dechrau ymgysuro y caem gyntun bach i anghofio ein holl ofidiau, ond pan fyddai hi *bron* dod, teimlem ein hunain yn dechrau dyrchafu yn y byd a bron mynd i hedeg, a'n cwymp a fyddai fawr.

Pam y gwneir y daith arbennig hon yn y nos? Am mai hirdaith ddi-ddŵr ydyw, trigain milltir o grastir sych, heb ddiferyn o ddŵr i dorri syched dyn nac anifail, ac er teithio'r nos bydd yr anifeiliaid druain yn dioddef llawer cyn cyrraedd pen y daith. Erbyn pedwar y bore roeddem wedi cyrraedd pen yr hafn oedd yn disgyn i'r afon, a chan fod honno yn faith a thrafferthus i'w theithio, penderfynwyd cael byrbryd i geisio deffro ac ymadnewyddu. Ond yn wir, yn wir, bu yn helynt difrifol ar Mair a minnau i symud o'r wagen fythgofiadwy. Nid oedd cymal o'n corffyn tlawd nad oedd yn gleisiau difrifol a phe buaswn fardd, rhyfedd os na wnaethwn dychangerdd i'r wagen arbennig honno.

Pan oedd y wawr ar dorri roeddem yn disgyn o'r peithdir uchel drwy hafnau mawr oeddynt yn arwain yn raddol tua'r afon. Gwyn fyd na allwn ddisgrifio lliw'r wawr ar y creigiau fel yr araf deithiem drwy'r hafnau. Mae ffurf y creigiau hyn yn gywrain iawn, ac y maent yn amrywio llawer yn eu lliw a'u hansawdd, rhai fel gwyrdd y môr, eraill yn rhuddgoch fel codiad haul, rhai yn ddu fel glo'r Rhondda, eraill mor wyn â'r iâ oesol. Yn yr agennau tyfa'r drain amryliw eu blodau, a'r wawr yn lledu yn dyner-ddistaw ar yr olygfa. Eiriolais ar i'r wagen aros, ac i'r gyr ceffylau ymdawelu. Teimlwn fod y fangre yn gysegredig, ac o, fel roedd y darlun yn newid bob eiliad nes roedd y llygaid dynol eiddil yn dallu wrth syllu arno. Roedd ysbryd y wawr wedi disgyn arnom oll, a safem yn fud, ac yn fwy gwylaidd nag y buom erioed o'r blaen. Ond tra mewn rhyw hanner lesmair fel hyn, wele'r haul, megis ag un naid yn entrych y nen, ac yn fflachio ei olau dros ein byd nes newid yr olygfa yn gyfan gwbl.

Wedi bod yn troelli ac yn disgyn am ysbaid dwy awr, clywem floedd ymlaen: 'Yr afon gerllaw.' Mae'n anodd iawn gennyf beidio credu nad oedd yr hen geffylau blinedig yn deall y frawddeg yna i'r dim, canys nid oedd modd eu hatal ar ôl hyn. Ymlaen yr elent dros greigiau a thrwy ffosydd, nes o'r bron y cyrhaeddodd ein tipyn esgyrn yn gyfan. Ond o, mor wynfydedig oedd cael golwg ar yr hen afon annwyl gyda'i digonedd dŵr! Golygfa i'w chofio oedd gweld y gyr ceffylau wedi carlamu ymlaen, ac wedi rhuthro i ganol yr afon, a dyna lle'r oeddynt, yn gweryru ac yn prancio o wir fwyniant.

Rhyfedd drefn yr hen fyd yma, onide? I'r hwn fedd leiaf o angen y rhoddir mwyaf y rhan amlaf; y gweithwyr dyfal oedd wedi tynnu'r wagenni llwythog ar hyd trigain milltir o grastir diffaith, oedd â mwyaf o angen dŵr, a hwy oedd yn ei haeddu fwyaf hefyd, ond roedd y segurwyr wedi cael eu gwala a'u gweddill ymhell o'u blaenau.

Cyn pen hanner awr ar ôl cyrraedd yr afon, roedd pawb yn chwyrnu cysgu, a miwsig y dyfroedd fel hwiangerdd i'n suo i gysgu.

Tua deg o'r gloch, pawb yn treio sgrwtian codi, ond yn edrych yn ddigon llipa. Ond rhaid oedd codi i geisio paratoi ychydig enllyn er cadw corff ac enaid ynghyd. Ond erbyn hyn roedd y gwynt yn anterth ei gynddaredd, a'r cawodydd tywod mor boeth-ddeifiol nes gyrru pawb ar ffo i chwilio am loches. Diwrnod o ddiflastod perffaith, pawb o'i hwyl a dim yn dod yn iawn, disgwyl yn hiraethus am fachludiad haul er oeri ac ireiddio o'r awel.

Gresyn na ellid danfon darlun cywir i chwi o'n pabell a'n cwrlid ar ddiwedd y dydd rhyfedd hwnnw, ond un gair roddai bortread pur agos hefyd – TYWOD ar dywod, a thywod ar ben hynny wedyn. Ond unwaith yr aeth yr haul i'w wely, roedd y gwersyll fel cyrchfa dylluanod, pawb yn brysur a bywiog yn gwneud rhyw fath o drefn ar yr anrhefn.

Bore drannoeth, ar doriad gwawr (cyn codi o'r gwynt), dechreuwyd croesi'r wagenni i'r ochr ddeheuol i'r afon, ac nid rhyw orchwyl rhwydd oedd hynny. Un cwch bychan digon bregus oedd yna, ac wyth o wagenni llwythog yn disgwyl am groesi. Rhaid oedd dadlwytho, ac yna datod y wagenni yn ddarnau a'u croesi bob yn rhan. Gwaith araf, helbulus, yw hwn, ond nid oes angen ei wneud ond ar rai adegau o'r flwyddyn, pan fo'r afon yn rhy uchel i'w rhydio.

Lle'r Beddau

Yng nghanol dwndwr a helynt y croesi, cefais egwyl fechan i orffwys a syllu o'm cwmpas. Roeddem wedi croesi i'r ochr ddeheuol am na allem ddilyn yr afon ymhellach ar yr ochr ogleddol, ac wrth edrych ar y clogwyni ysgythrog a'r hafnau dyfnion, cofiais yn sydyn fod yna un o hanesion pruddaf y Wladfa yn gysylltiedig â'r fangre unig honno.

Nid oeddwn i ond ieuanc iawn pan ddigwyddodd y gyflafan yn Lle'r Beddau, ond mae'r cyfan yn boenus o fyw yn fy nghalon o hyd.

Aethai pedwar o Wladfawyr ieuainc am wib i weld y wlad. Roeddynt yn llawn o ysbryd anturiaethus, ac awydd angerddol am gael gwybod beth oedd yn yr eangderau mawr, distaw a'u cylchynent ar bob llaw. Roeddynt wedi clywed am yr Andes o bell, a breuddwydient fod yno aur ac arian a rhyfeddodau anhygoel. A rhyw fore o wanwyn, pan oedd natur yn gwenu ar drothwy ei bywyd newydd, wele'r pedwar llanc yn cychwyn ar eu taith ymchwiliadol. Roedd un yn blentyn y paith, a dyrys lwybrau'r hen frodorion yn gyfarwydd iddo, a'r lleill yn feibion Cymru fynyddig, wedi arfer dilyn mân lwybrau'r praidd ar hyd glas lethrau a dolydd Gwalia.

Roeddynt yn rhy ieuanc a nwyfus i wybod beth oedd ofn na phryder; dieithrwch ac ansicrwydd y daith oedd y prif swyn iddynt. Sisialent eu cyfrinion a'u dyheadau gylch tân y gwersyll bob min hwyr cyn rhoi pen ar yr hen ddaear dirion i orffwys hyd doriad gwawr.

Teithiasant fel hyn yn ddiddig-ddiddan o ddydd i ddydd ac o wythnos i wythnos, gan weld rhyfeddodau di-ben-draw, a gwneud llu o gestyll gwych, sut oedd y dyfodol i fod. Weithiau dilynent yr afon dros greigiau serth, danheddog. Dringent fel geifr, gan beryglu eu bywydau bob munud, ond gwynfydent yn yr ymdeimlad o fod yn ddarganfyddwyr. Bryd arall ffarwelient â'r hen afon, a thorrent allan i'r peithdir diderfyn gyda'i fôr ddrain amryliw, a'r miloedd anifeiliaid gwylltion, unig ddeiliaid y deyrnas anferthol hon. Pa ryfedd fod y pedwar llanc wedi eu llyncu i fyny yn gyfan gwbl gan gyfaredd y cylchynion, nad oes eu tebyg ar y ddaear yn ôl tystiolaeth rhai o deithwyr enwocaf y byd. Pa ryfedd iddynt ymgolli nes anghofio yn llwyr mor unig oeddynt, ac mor bell o bob ymwared dynol, a bod milwyr Sbaenig wrth y cannoedd yn cyniwair drwy'r anialdiroedd hyn, nid i hela'r anifeiliaid gwylltion oedd yn anrhaith gyfreithlon iddynt: o, na, hela'r Indiaid oeddynt hwy, etifeddion y paith ers canrifoedd cyn bod sôn am Sbaenwyr. Barnai seneddwyr dysgedig yr Archentina mai'r unig ffordd i ddatblygu a gwareiddio Patagonia oedd drwy ddifa'r hen frodorion yn llwyr o'r wlad, a dyna oedd yr ymgyrch fawr hon yn amser y pedwar llanc. Roedd yr helfa wedi bod yn ofnadwy, a thriniaeth y milwyr o'r carcharorion mor anrhaethol greulon nes y taflai'r hen Indiaid eu hunain wrth y cannoedd o bennau'r mynyddoedd i'r llynnoedd a'r afonydd islaw yn hytrach na syrthio i ddwylo gelynion mor arswydus. Roedd yr ychydig gannoedd lwyddasent i osgoi'r milwyr yn llochesau'r mynyddoedd wedi ymwallgofi gan ofn, a phob cynneddf yn eiddo llwyr i Satan, a dim ond un dyhead yn llanw pob calon, sef dial gwaed eu hanwyliaid. A pha Gymro all eu beio?

Ar un o'u teithiau cwrddodd y Gwladfawyr ieuainc â masnachwr Eidalaidd, yr hwn, heblaw gwerthu iddynt ychydig ddillad (milwrol) a'u perswadiodd i droi'n ôl gynted gallent, gan eu sicrhau nad oedd eu bywydau yn ddiogel funud awr, fod yr hen frodorion wedi eu herlid i wallgofrwydd, ac wedi ymdynghedu i ladd pob dyn gwyn gyfarfyddent.

Drysodd y newydd yma holl gynlluniau a breuddwydion y llanciau. Siomedigaeth chwerw oedd gorfod troi tuag adref ar gyrrau gwlad yr addewid fel pe tai, ond gwyddent hwy beth oedd effaith diod y dyn gwyn ar yr hen frodorion syml, ac y byddai eu meddwi ar waed yn filwaith fwy trychinebus. Felly nid gwiw oedd anwybyddu rhybudd y masnachwr. Teithiasant yn ddiogel ddydd a nos gan osgoi a thorri llwybrau fel na ellid eu dilyn. Daethant felly, yn dra blinedig, a'u harfau ynghlwm ar y pynnau, hyd at y dyffryn y syllwn arno oddi tros yr afon, y diwrnod yn wyntog a llychwinog iawn. Ond wele! Fel corwynt, clywent waedd annaearol mintai o frodorion ar eu gwarthaf, llwch ceffylau y rhai gymylai amdanynt, gwaywffyn yn ymwibio o'u deutu, rhuthriadau, codymau ac ysgrechfeydd. Roedd ceffyl y llanc gwladfaol yn gryf a bywiog, a phan glywodd y waedd ac y teimlodd flaen picell, llamodd yn ei flaen hyd at ffos ddofn, lydan, yr hon a gymerodd ag un naid, a naid ofnadwy oedd honno. Pan edrychodd y marchogwr drach ei gefn, gwelai ddau frodor yn dilyn gan oernadu fel gwylliaid Annwn, a thorf wedi ymgronni tua'r fan y goddiweddwyd hwy.

Nid oedd gan y ffoadur bellach ddim i'w wneud ond ceisio dilyn ymlaen i'r Wladfa am ymwared, fwy na chan milltir o ffordd, heb fod ganddo damaid o fwyd. I mi, a glywodd yr hanes oddi ar wefus y ffoadur, mae fel darn o stori o wlad hud, mor amhosibl ac ofnadwy yr ymddengys, ond diau mai'r dychryn a'i cynhaliodd ar y daith fythgofiadwy honno. Mae'r paith o Ddyffryn y Beddau i'r Wladfa y mwyaf anial a diffrwyth yn yr holl wlad, a darnau helaeth ohono yn ddi-ddŵr. Eithr dilynwn y ffoadur unig am ennyd, ond, ys dywedai ef, ni theimlai'n unig. Dychmygai fod holl ellyllon y fall wrth ei sawdl bob cam o'r ffordd, a chred yn ddiysgog, a chredaf finnau hefyd, fod yr hen geffyl ffyddlon achubodd ei fywyd drwy ei naid erchyll, yn teimlo'r un fath yn union. Am oriau ni thorrwyd carlam, ond daeth natur a llenni'r nos i alw'n groch am orffwys, a phan gafwyd ychydig ddŵr llwyd-leidiog mewn pantle, bu fel dracht o fywyd newydd i ddyn ac anifail. Ond roedd cysgu neu orffwys yn amhosibl. Roedd pob twmpath yn troi'n Indiad, ac yn nesu tuag ato, ysgrechiadau'r dylluan a chyfarthiad cecrus y llwynog yn troi'n rhyfelwaedd frodorol. Ac roedd y cof am ei gymdeithion diamddiffyn yn ei symbylu a'i nerthu i wneud pethau anhygoel yn ei ddyhead am gael ymwared iddynt.

Teimlai weithiau na ddelai'r can milltir fyth i ben, ac y byddai'n rhaid iddo ef a'i geffyl roi fyny'r ymdrech a gostwng pen i farw o newyn a syched yng nghanol yr anialwch didrugaredd. Ni allai'r ceffyl truan ond cerdded yn araf erbyn hyn, a'r teithiwr yn ei wendid a'i newyn yn gorfod glynu ar ei gefn fel ei obaith olaf am ymwared. Ac fel yna, o gam i gam, a phob munud megis blwyddyn, y cyraeddasant ben uchaf Dyffryn y Camwy, ac y medrasant, drwy boen a lludded anrhaethol rhy fawr i eiriau eiddil, droi eu camrau tua'r bwthyn cyntaf oedd yn llechu mor dawel yng nghanol ei lwyni coed.

Ac yna, bu gwaedd ddolefus drwy ein Gwladfa fechan: dychryn, galar, a dagrau ar bob grudd. Aeth ein dyffryn yn fro wylofain, ac ni allai glesni nef na llewyrch haul oleuo dim ar y tywyllwch dudew a'i gorchuddiai. Ond toc, daeth cri'r llanc lluddedig i atsain ym mhob calon. Ymarfogwn i'r gad! Gwaredwn ein brodyr, a dialwn eu cam! A chyn pedair awr ar hugain roedd trigain o wŷr a llanciau dewraf y Wladfa yn cychwyn yn llu arfog tua man y gyflafan. Pwy sy'n arwain? Pwy ond y ffoadur gipiwyd megis o safn angau i gario'r newydd prudd dros gymaint paith. Mae'n llesg a gwan wedi'r dioddef dwys, ond nid oes neb yn gwybod y ffordd ond efe, ac o, fel y dyhea ei enaid am adenydd y wawr i estyn i'w gyfoedion ymwared â nodded! Mae'r fyddin fechan yn cael gwaith ei ddilyn, ymlaen, ymlaen y teithiai ddydd a nos, gan warafun colli munud i gymryd ychydig luniaeth i nerthu ei wendid.

Bu syllu hir, distaw, ar yr agen ddofn-lydan a lamwyd er achub bywyd, ac oni bai fod ôl traed y march ffyddlon yn ir ar y ddaear yn dweud y stori fud, buasai'r ffaith yn anghredadwy, ond erys hyd heddiw yng nghalon pawb a'i gwelodd fel rhywbeth yn agos iawn i'r goruwchnaturiol.

Bu rhaid teithio amgylch ogylch er osgoi'r hafnau a'r creigiau, a phob calon yn crynu erbyn hyn, a phob dryll yn barod, canys roeddynt yng nghanol gwlad y gelyn, ac o fewn ychydig lathenni i faes y gwaed.

Nid oedd ond distawrwydd yn teyrnasu ym mhob man, dim awel yn lleddfganu drwy'r glaswellt rhonc deithid mor esmwyth a distaw gan y meirch blinedig. Pwy all ddychymgu ing meddwl yr arweinydd fel y cyflymai ymlaen gan syllu i bob cilfach, a rhyw belydryn o obaith yn mynnu aros yn ei galon o hyd, ond a! Gwelwch, dacw'r corff lluniaidd, talgryf, ddioddefasai bethau anhygoel yn rhinwedd y gronyn gobaith hwnnw yn dechrau siglo fel corsen ysig. Torrodd y llinyn euraidd fu iddo ef fel seren Bethlehem, ac aeth yn nos.

Roedd dwylo tyner, tosturiol gylch y bachgen dewr ar amrantiad, ei law egwan amneidiai tua'r dde, a daeth ystyr y cyfnewidiad yn chwerw-eglur i'r fagad fechan o filwyr Cymreig syllent yn y fath arswyd mud ar yr olygfa dorcalonnus oedd o'u blaenau.

Roedd amryw o'r fintai yn hen gewri o ganol stormydd bywyd, eraill yn ieuainc a'u bywyd fel yr haul, ond i'w clod y byddo'r coffa fod y ddaear ruddiwyd â gwaed eu cyfoedion wedi ei gwlitho yn helaeth â'u dagrau hwy.

Roedd y gyflafan wedi bod yn ddychrynllyd, yn ellyllaidd yn ei barbareiddiwch a'i hanifeileiddiwch. Yr hen baganiaid syml, heddychol, wedi eu troi drwy greulonderau gwareiddiad yn wylliaid rheibus, a'u syched am waed yn brif nwyd eu bywyd!

Roedd y tri corffyn truain wedi eu darnio a'u baeddu yn hollol tu hwnt i adnabyddiaeth. Nid oedd ond megis gweddillion ysglyfaeth y llew a'r blaidd. Nid oedd gan y Gwladfawyr prudd, dychrynedig ond gwneud eu gorau i gasglu'r gweddillion (a phwy all ddychmygu y gorchwyl hwnnw), a thorri bedd mewn cilfach gysgodol, a dodi'r tri brawd yn wylaidd-gysegredig i orffwys yn eu gwely pridd mor bell o dir eu gwlad.

Ffurfiodd y fintai yn gylch o amgylch y bedd. Darllenodd fy nhad y gwasanaeth claddu o'r Llyfr Gweddi Cyffredin, o dan deimladau llethol, ac yna cafodd y calonnau Cymreig ollyngdod i'w teimladau hiraethus drwy gydganu yr hen emyn gogoneddus, 'Bydd myrdd o ryfeddodau.' Mae'n anodd credu i'r hen emyn gael ei ganu yn well erioed. Roedd yr amgylchiadau a'r cylchynion wedi codi'r cantorion mor agos i'r byd anweledig y canent amdano, diau i aml un sylweddoli fel na wnaethai erioed o'r blaen, eiddilwch a breuder y babell bridd ar wahân i'r enaid anfarwol a driga ynddi. Canwyd ac ail-ganwyd yr hen emyn nes atseinio'r creigiau cylchynol, ac yna taniodd pawb ei ddryll dros y gwely pridd mewn ffarwél filwrol.

Gwnaeth pawb ei orau i wneud yr orffwysfan yn glyd a destlus, ac i gasglu unrhyw eiddo personol adawyd gan y llofruddion fel ag i'w cyflwyno i berthnasau galarus y tri llanc llofruddedig. Dringodd aml i fachgen hoyw i ben y clogwyni cylchynol mewn gobaith y ceid cip ar rai o'r gelynion, a chyfle i ddial cam eu cydwladwyr; ond unig a distaw fel y bedd newydd islaw ydoedd, dim arwydd fod yna yr un creadur byw o fewn can milltir iddynt.

Ymhen misoedd lawer y gwybuwyd fod yr holl gilfachau cylchynol yn heigio o frodorion, yn barod i ladd a llarpio fel o'r blaen, ond fod y canu rhyfedd hwnnw yng nghanol yr eangderau mawr distaw wedi eu dofi a'u llarieiddio. Dywedir hefyd mai dyna pryd y deallasant mai Cymry oeddynt wedi eu lladd, ac nid milwyr Sbaenig, canys dillad milwrol oedd gan y llanciau truain a brynasant gan y masnachwr, a bu galar aml i hen frodor yn ddidwyll ddigon am iddo ladd ei frodyr Cymreig mewn camgymeriad.

Beth bynnag am wiredd yr eglurhad yna, nid oes amheuaeth am effaith y canu. Llithrodd y llu brodorion yn llechwraidd a distaw yn ôl i'w llochesau yn y mynyddoedd heb gynnig anelu saeth at y fintai islaw oedd yn hollol at eu trugaredd.

Digon prin y bu gan unrhyw gantorion erioed wrandawyr mor astud a synedig. Beth yw'r gyfaredd sydd mewn canu tybed, o ddyddiau Saul hyd yn awr? Pam y dofodd yr anifail ym mhob calon, ac y trodd y tân digofus fflachiai o bob llygad yn ddagrau gloywon ar y gruddiau melynddu?

Mae Cymry'r Camwy ac Indiaid Patagonia wedi cyd-fyw am yn agos i ddeugain mlynedd mewn tangnefedd a heddwch perffaith. Dyma'r unig frycheuyn yn eu hanes, a hawdd iawn gennyf fi, a fagwyd yn eu mysg, gredu mai camgymeriad truenus fu'r gyflafan yn Lle'r Beddau.

Y Ffrwd Gyntaf

Nid diddorol fyddai dilyn y teithiau o ddydd i ddydd, felly ni a weibdeithiwn nes cyrraedd ohonom i'r mynyddoedd. Ar y Sabath yn unig y caffai dyn ac anifail gyfle i orffwys, canys ni theithiem ar y diwrnod hwnnw oni bai fod rhyw angen mawr. Ond nid gorffwys i gyd fyddai rhan y merched, canys dyma ein diwrnod pobi! Eithr na chyhoeddwch hyn yn Gath. 'A sut mae pobi ar y paith?' meddech. A oes rhai o foneddigesau Cymru hoffent wybod, tybed? Rhag ofn fod, gwell rhoi rhyw led amcan, ond rhaid dod i Batagonia i ddysgu yn iawn. Gwneir twll hirgul yn y ddaear, heb fod yn ddwfn iawn, a llenwir â thanwydd. Bydded hysbys fod eisiau bod yn hael gyda'r tanwydd. Yna, wedi llosgi o'r coed yn farwor, tynner ychydig o'r neilltu, a doder y sosban, yn yr hon y mae'r dorth, ar y ddaear boeth. Wedi gofalu bod y clawr yn ddiogel, rhodder y marwor arno, ac ymhen yr awr bydd gennych gystal torth ag a graswyd yn Llundain erioed.

Wedi gorffen pobi bydd y prynhawn gennym i gynnal Ysgol Sul a chanu rhai o'n hoff emynau, a bydd hwyl iawn ar rai o'r cyfarfodydd hyn.

Mae gennyf gof byw am y ffrwd gyntaf welsom ar y daith. Nid oedd fy nghyfeilles ieuanc erioed wedi gweld ffrwd. Un o blant y Wladfa oedd hi, a hon oedd ei thaith gyntaf oddi ar aelwyd yr hen gartref, ac nid oes yn Nyffryn y Gamwy ffrydiau na tharddiadau. Teithiem ni o flaen pawb y diwrnod hwn, a mawr oedd ein disgwyl am y ffrwd addewsid i ni y bore wrth gychwyn o'r gwersyll. Wrth ddringo i fyny tuag ati y caem yr olwg olaf ar afon y Gamwy hyd oni ddychwelem. Gormod o demtasiwn oedd peidio troi pennau'r meirch er mwyn cael un olwg arall arni; ymdroellai ac ymddolennai yn wir deilwng o'i henw. Dywedid wrthym hefyd mai dyma fuasai ein golwg olaf ar yr helyg wylofus, hen gyfeillion ein mebyd; coffa da fel y byddai gweld un ohonynt mewn rhyw ddyffryn tawel yng Nghymru yn codi hiraeth lond fy nghalon nes y byddai rhaid i minnau weithiau blygu pen mor wylaidd â'r helygen. Ond dyna, yr oedd yn dda gennym ein bod ein hunain y diwrnod hwnnw, ac nad oedd rhaid i ni siarad llawer.

Ymlaen i ddotio at y ffrwd, ac i leddfu'n hiraeth ym miwsig ei dyfroedd. Un fechan fach oedd, ond mor loyw â'r grisial. Rhaid oedd i'm cyfeilles gael disgyn ar unwaith i brofi y fath ddyfroedd peraidd yr olwg arnynt. Yr oeddem yn awyddus i weld y ffrwd, felly, wedi gwneud ein ceffylau yn ddiogel, a rhoddi iddynt hwythau wledd o felys win natur, cychwynasom ar i fyny. Gwelem draw dwmpath o hesg hyfryd yr olwg arno. Gan mor wyn ei ddail ac mor glaerwyn ei flodau, meddyliwn mai fan honno y gwelem ei tharddiad. Ac felly fu.

'Ie, ond o ba le mae hi'n dod i'r fan hyn?' meddai Mair. Ie, wir, o ba le, canys tarddai yn siriol o grombil y graig, un o'i ystordai mawr Ef. Eisteddem ar fin y dŵr i ddisgwyl ein cyfeillion, gan lechu yng nghysgod y twmpath gwyrddlas, a gwrando ar natur yn dweud ei stori yn ei hiaith ei hun. Onid yw pob goslef o'i llais yn beroriaeth? Nid oes neb yn trigo o fewn cannoedd o filltiroedd i'r ffrydlif fechan hon, ond i'r teithwyr blin y mae fel pelydr o baradwys, a'i miwsig fel su adenydd angylion. Yr oeddem wedi crwydro i fyd mor ddedwydd fel yr oedd yn ddrwg gennym weld y wagenni yn dod i dorri ar ddistawrwydd mor swynhudol.

Ac eithrio'r ffrydiau wrth y rhai y gwersyllem, nid oedd fawr wahaniaeth rhwng y teithiau peithdir dreiniog anniddorol, ond mewn ambell fan byddai'r drain yn llawn blodau. Llawer feddyliais wrth edrych ar y drain bytholwyrdd hyn gyda'u dail iraidd a'u blodau pêr yng nghanol y crastir, mor ddoeth a chywrain yw trefn natur yn darparu llysiau addas i bob math o hinsoddau, a thrwy hynny yn gwasgar prydferthwch ar hyd wyneb yr holl ddaear.

Gwnaed aml ymgais yn y Wladfa i dyfu drain y paith fel perthi gylch y ffermdai, i'w gwneud yn debycach i hen gartrefi Cymru. Ond na, ni fyn y ddraenen wenu yn y dyffryn, na gwasgar ei pherarogl ar lan afonydd dyfroedd. Nid gwasgar tlysni ar y dyffryn yw ei gwaith. Plannwyd hi gan law ddwyfol yr Hwn sy'n gofalu nad oes hyd yn oed aderyn y to yn ddigysgod. Mae ar y gwastadeddau hyn filoedd o anifeiliaid, ymlusgiaid ac ednod yn cael noddfa glyd rhag stormydd gaeaf a chysgod rhag heulwen haf. Mae glaswellt ir yn tyfu yn lleithder gwreiddiau'r ddraenen ac yn flasus fwyd a gâr yr anifail gwyllt. Mae ei hadau fel grawn aeddfed i'r cyfeillion asgellog sy'n nythu mor hapus a diofn yn y canghennau. A phan ddaw y teithiwr blin am dro drwy ardd Eden y paith, mae'n estyn iddo yntau yn haelionus o'i holl drysorau heb ddisgwyl dim yn ôl.

Gwyn fyd na allai miloedd o bobl ieuainc Cymru dreulio ambell wythnos mewn blwyddyn yng nghanol yr eangderau hyn. Caech lawer breuddwyd tlws am bethau gorau bywyd, a byddai eich byd yn wynnach byth o'i herwydd.

Er ei bod yn fis Rhagfyr ac yn ganol haf, oer iawn fu'r hin ar hyd y ffordd. Teimlem ias yr iâ oesol ar yr awel, ond awel y mynyddoedd ydoedd, yn llawn nwyf ac iechyd. Ymhyfrydem ynddi, a theimlem ein calon yn dweud yn aml mai da oedd cael byw. Pan oeddem o fewn rhyw daith diwrnod i'r olwg gyntaf ar yr Andes, cawsom storm o wynt mor gethin ac mor oer fel mai prin y gallem gadw ar ein ceffylau, a'r eira ar yr awel mor finiog nes gwneud difrod alaethus ar y tipyn croen oedd yn weddill ar ein hwynebau a'n dwylo.

Os deil eich amynedd i'm dilyn hyd y diwedd, cawn gydwynfydu ar fawredd a thlysni'r Andes pell, a threulio dydd Nadolig ar eu copa gwyn, yn gweld yr haul yn codi nes gwneud un enfys ogoneddus o'r gadwyn fynyddoedd.

Yr olwg gyntaf ar gopa Mynydd Edwyn; y gwynt yn chwythu gyda holl ffyrnigrwydd ei allu aruthrol, y cymylau duon bygythiol fel pe'n ymlid yr haul i'w orffwysfa. Ond dacw'r haul yn cyrraedd y copa gwyn ac yn disgyn fel mantell o aur, ac er ein bod yn teithio dros ucheldir ysgythrog, a gwynt yr iâ oesol bron parlysu dyn ac anifail, eto mor ofnadwy ac mor ogoneddus oedd yr olygfa, nes yr oedd pob teimlad corfforol yn diflannu, a'r enaid yn gwibio mewn rhyw ddyhead dwys at droed y mynydd mewn addoliad mud. Mor naturiol i'r hen frodorion syml addoli'r haul, onide, a hwythau yn arfer ei weld o'u mebyd fel y gwelais i ef am y tro cyntaf.

Gelwir yr hen Indiaid yn baganiaid, ac eto pan ddaw llewyrch y wawr ar y mynyddoedd gwyn, bydd y penaethiaid yn cyrchu at y ffrwd agosaf atynt, ac yn codi'r dŵr grisialaidd yn eu dwylo gan ei wasgar yng nghyfeiriad codiad haul, gan ofyn i'r Ysbryd Da lwyddo eu dydd. Gwyn fyd na fyddai mwy ohonom yn baganiaid yn yr ystyr yna, onide? A fyddwn ni'n gofyn am fendith ar doriad gwawr pob dydd newydd?

Yr un dydd ag y gwelais y mynyddoedd, daethom at wersyllfa o Indiaid, a'u pennaeth yn hen ŵr trigain oed, ond ei wallt yn ddu a'i gorff yn dalgryf a syth fel dyn yn anterth ei nerth. Pan gyraeddasom y gwersyll, cyfarchwyd ni'n drystfawr gan ugeiniau o blant bach yng ngwisg natur, a chŵn dirifedi o bob lliw a llun. Arweiniwyd ni i mewn gan fab y pennaeth, a fuasai yn aros yn fy nghartref ychydig fisoedd cynt. Eisteddai'r hen frodor yn ei babell ar groen ceffyl, yn sipian mate. O'i gylch yr oedd amryw o'r *chinas* (y merched) yn prysur wnïo crwyni a nyddu gwlân y guanaco. Cawsom ninnau le i swatio yn ymyl yr hen bennaeth, a phan ddywedais wrtho pwy oeddwn, fy mod yn ferch i Don Luis, cododd ar ei draed i ysgwyd llaw â mi gan ddweud: 'Os wyt ti'n ferch i Don Luis, yna ein chwaer ni wyt ti, canys y mae efe yn frawd i ni oll.'

Balchach oeddwn o deyrnged yr hen frodor syml i'm tad na phe rhoddid iddo ffafrau tywysogion mwyaf y byd. 'Gwyn eu byd y rhai addfwyn: canys hwy a etifeddant y ddaear.' Cymerodd Archentina'r cledd a'r milwr i wareiddio Indiaid

Patagonia. Daeth dyrnaid o Gymry o gilfachau mynyddoedd Gwalia i ddysgu dull arall o wareiddio. Yr oedd, yng ngeiriau'r hen Indiad 'paganaidd', yn wers fawr ac y mae'r byd Cristionogol heb ei dysgu eto. Wrth ymgomio yn y babell, daeth y gair 'Cristianos' i mewn, a gofynnais iddo pwy feddyliai wrth y 'Cristianos' hyn.

'Y Sbaenwyr,' meddai.

'Eithr onid ydym ninnau hefyd yn Cristianos?' meddwn.

'O, na, *amigos de los Indios* (cyfeillion yr Indiaid) ydych chwi.'

Rhyw deimlad rhyfedd ddaeth trosom wrth glywed ateb yr hen frodor. Mor chwith meddwl fod y gair fu gynt mor gysegredig a sanctaidd wedi ei gyplu yng nghalon y pagan â phob creulonder a barbareiddiwch.

Brodorion Patagonia

Wedi bod yn treulio'r prynhawn yng nghwmni'r hen bennaeth brodorol, bûm yn meddwl llawer beth oedd hanes Indiaid Patagonia tybed yn y gorffennol pell, cyn dyfod y dyn gwyn i aflonyddu ar eu heddwch ac i ladrata eu hetifeddiaeth.

Dengys wynepryd, maint ac anianawd y brodorion eu bod yn perthyn i bedair cenedl:

(1) *Pampiaid*, sef trigolion gwastadeddau eang talaith Buenos Aires.

(2) *Arawcanod*, a breswylient lethrau'r Andes o'r ddau tu.

(3) *Tehuelches*, brodorion tal a chorffol y canolbarth.

(4) *Ffwegiaid*, sef pobl gorachaidd gwaelod eithaf deheuol y cyfandir.

Pan sefydlwyd y Wladfa (1865), yr oedd y brodorion yn arglwyddi ar yr holl wlad o Cape Corrientes i lawr hyd Cape Horn, a'r holl berfeddwlad oddi yno i'r Andes. Gyda'r Arawcanod a'r Tehuelches y bu a fynno'r Wladfa yn fwyaf arbennig, yn enwedig yr olaf, hen gewri rhwth, tawel ydynt hwy.

Ym 1520 y darganfuwyd Patagonia gan yr enwog Ferdinand Magellan, a rhoddodd ei enw ar Gulfor Magellan hyd heddiw. Yna daeth Francis Drake ym 1578, ond gwibdeithio gyda'r arfordir a wnâi'r teithwyr hyn, heb gael fawr cyfle i weld y brodorion na'r wlad.

Yn ystod y can mlynedd dilynol i ymweliad Drake, bu Narbrough, Byron a Wallis yn gwibdeithio tua'r un cyffiniau.[1] Ond ni chafwyd fawr iawn o hanes credadwy hyd ymweliad

---

[1] Sir John Narbrough (1640–88), John Byron (1723–86) a Sir Provo William Parry Wallis (1791–1892). Ceir cofnodion ar y tri yn y *Dictionary of National Biography*.

Darwin ym 1833.[2] Er na chafodd yntau nemawr gyfleustra i dreiddio i'r gwastadeddau diderfyn a'i cylchynai ar bob llaw, ganddo ef y cafwyd yr hanes credadwy cyntaf am Indiaid Patagonia. Mae ei nodiadau diddorol ar ddaeareg a llysieuaeth y wlad yn hysbys ddigon i bawb bellach fel na raid manylu.

Ond i G. C. Musters y perthyn y clod o roi ar gof a chadw hanes a thraddodiadau'r Indiaid, y Tehuelches yn fwyaf arbennig. Bu ef fyw am ddeunaw mis yn eu mysg fel un ohonynt, gan godi ei babell o wythnos i wythnos, a theithio cannoedd o filltiroedd drwy'r eangderau distaw, dyrys, a'i fywyd yn hollol at drugaredd y brodorion. A phan ddaeth yn ôl i wareiddiad wedi hir bererindod, ym 1871 cyhoeddodd ei lyfr, *At Home with the Patagonians,* a diau nad oes hyd yn oed yn y dyddiau cyfoethog hyn un llyfr mwy angerddol ddiddorol i bawb sy'n hoff o hanes y pell a'r dieithr. Bu i mi fel helyntion Robinson Crusoe i blant Cymru, a theimlaf yn sicr pe ceid cyfieithiad Cymraeg o lyfr Musters y byddai yn gymaint ffefryn ag y bu stori Defoe erioed.

Ar ôl dyfodiad y Sbaenwyr i Dde America (1560) y gwybu'r brodorion ddim am geffylau. Crwydro ar draed y byddent cyn hynny, ac y mae eu hen wersylloedd a'u celfi yn efrydiaeth ddiddorol i'r hynafiaethydd. Mae'n debyg mai eu cyrchfannau pennaf oedd y rhanbarthau tyfiannus wrth odre'r Andes, ond gan fod yr hinsawdd yno a'r gweryd yn lleithach, nid hawdd yn awr taro ar eu holion. Yr Arawcanod yn bennaf breswyliodd y rhannau mynyddig, gan erlid yr hen Tehuelches rhwth tua'r de a'r dwyrain, y man mae tiriogaeth y Gamwy heddiw.

Oddi wrth y gweddillion geir yno, a'r traddodiadau yn eu mysg pan seiliwyd y Wladfa, gellid casglu mai arfau cerrig a challestr a arferent; mai pysg a chregyn oedd eu cynhaliaeth pan o fewn cyrraedd; fod cyfnod wedi bod arnynt pan y claddent eu meirw, a chyfnod arall y llosgent hwynt, ac mewn

---

[2] Charles Darwin (1809–82). Gweler *Gwymon y Môr*, t.139.

mannau caregog mai dodi carneddi arnynt wneid. Lle y mae hen gladdfeydd heb fod yn dra hynafol, y mae hyd yn awr bentyrrau o sglodion callestr, pennau saethau, pennau tryferi, a gweddillion llestri pridd amrwd ond addurnol; ceir hefyd fwyeill cerrig, a morteri a phestlau.

Mae ar y ffarm yn fy hen gartref un o'r claddfeydd diddorol hyn, a threulid oriau dedwydd gennym ni, blant yr ardal ar ein ffordd i'r ysgol, yn chwilota am greiriau hen drysorfa frodorol. Blin iawn gennyf erbyn heddiw na fuaswn wedi bod yn llawer mwy dyfal gyda'r gwaith, yn lle gadael i naturiaethwyr gwledydd eraill ysbeilio'r hyn a berthynai yn gyfreithlon i amgueddfa'r Wladfa Gymreig. Pan ddeffrois i werth hanesyddol yr hyn oedd megis ar drothwy fy nghartref, yr oedd y pethau gwerthfawrocaf wedi eu cludo ymaith i amgueddfa Buenos Aires.

Beth oedd diben yr holl briddlestri tybed? Ai llestri lludw y meirw oeddynt, ynteu llestri offrymau i'r meirw, yn ôl defodau dwy neu dair canrif yn ôl? Claddent eu meirw yn eu heistedd, gan ddodi yn y bedd gyda hwy eu celfi mwyaf prisiadwy, a pheth bwyd a diod; yna lladdent geffylau a chŵn y marw; gwleddent ar gig y ceffylau a'r cesyg; llosgent ddillad ac addurniadau y marw; torrai y menywod eu hwynebau nes gwaedu a baeddu, ac oernadent alar mawr.

Pam y dodir y bwyd a'r celfi yn y bedd? 'Bydd ein brawd yn teithio'n bell, drwy wlad dywyll ac unig, a bydd arno newyn a syched cyn cyrraedd glan yr afon fawr, ac wedi croesi, bydd angen yr holl gelfi i ailddechrau byw mewn gwlad o lawnder dihysbydd.' Amlwg yw fod ganddynt ryw ddrychfeddwl am arall fyd, a rhyw obaith cael ail-gwrdd maes o law. Prif syniad yr hen Indiad am nefoedd yw gwlad lle nad yw'r *game* byth yn brin. Mae wedi crwydro'r anialdiroedd mawrion hyd ei fywyd i chwilio am gigfwyd (ei unig ymborth), ac wedi gorfod mynd yn newynog ganwaith oherwydd prinder.

Cof gennyf pan yn blentyn fod yna frodor yn marw mewn

pabell gerllaw fy nghartref. Yr oeddem ni wedi gwneud yr hyn a allem drosto yn ôl ein gwybodaeth, a hwythau'r hen Indiaid wedi gwneud a allent i yrru'r ysbryd drwg ohono drwy eu gwahanol seremonïau, ond gwywo oedd yr hen gyfaill, a'm tad yn ceisio egluro iddo, mor dyner a syml ag y gallai, nad oedd eisiau iddo ofni marw, mai dim ond taith fer oedd tros yr afon: a dau gwestiwn olaf yr hen frodor oedd: A fuasai yno Gymry, ac a fuasai yno gyflawnder o *game*. Nefoedd ffrwythlon Gymreig, dyna nefoedd Indiaid Patagonia heddiw.

Ni cheisiodd Cymry'r Gamwy broselytio na gwareiddio'r Indiaid, ond estynasant iddynt law brawdgarwch, a buont yn eiriol trostynt dro ar ôl tro o flaen senedd y brifddinas, pan oedd trais a brad Sbaenaidd yn eu llethu, ac yn bygwth eu difodi'n gyfan gwbl. Deallodd etifeddion y paith nad oedd y newydd-ddyfodwyr wedi dod i'w gwlad i'w hysbeilio na'u gorthrymu, ond i gyd-fyw mewn tangnefedd. Dysgodd yr Indiad y Cymro i hela'n fedrus, a thrwy hynny achub y Wladfa rhag newyn llawer tro. Bu'n ddyfal yn ei ddysgu i wneud pob math o gêr ceffylau o grwyn yr anifeiliaid gwylltion, fu mor werthfawr i'r sefydliad ieuanc ar ddechrau ei gyrfa amaethyddol mewn estron fro, mor bell o gyrraedd pob cyfleustra.

Bu'r ddwy genedl yn marchnata'n ddiwyd am flynyddoedd: plu, crwyn, a charpedau cynnes yr Indiaid yn gyfnewid am fara maethlon y Cymry, etc. A buan y daeth yr hen frodorion i hoffi cwpaned o de a bara menyn Cymreig cystal â'r un Cymro yn y wlad. Ni fyddai'n beth dieithr o gwbl gweld rhes o wynebau melynddu, astud, mewn capel ar y Sul, neu gwrdd llenyddol, neu 'steddfod, a phan fyddai cwrdd te a chlebran, byddai'r un croeso wrth y ford i'r hen frodorion â phawb arall. Byddai ambell bennaeth yn gadael rhai o'r plant ar ôl yng ngofal teulu Cymreig er mwyn iddynt fynd i'r ysgol, a buan y deuai'r crots i siarad Cymraeg rhugl. Mewn llawysgrif nid oedd neb a'u curai, yr oedd eu dwylo mor ystwyth a'u hamynedd fel y môr.

Bu un ohonynt – y Pennaeth Kengel erbyn heddiw – a minnau yn cydefrydu wrth yr un ddesg am flwyddyn, a buom yn helpu'n gilydd lawer gwaith. Nid yw wedi anghofio ei Gymraeg hyd heddiw, a phan ddaw ar ymweliad â'r Wladfa o dro i dro, o'i gartref pell, mynyddig, bydd croeso cynnes, siriol iddo ym mhob cartref gwladfaol.

Byddai tymhorau neilltuol gan y brodorion i ddod i lawr i'r sefydliad i farchnata. Deuent yn llu banerog, gant neu ddau gyda'i gilydd; cannoedd o geffylau; cannoedd o gŵn; ugeiniau o blant bach wedi eu pacio mewn cawelli gwiail, un bob ochr i'r fam ar y ceffylau rhadlon; y pebyll a'r pyst a'r nwyddau gwerthadwy yn bynnau mawrion ar y ceffylau gedwid yn arbennig at y gwaith hwnnw, a'r helwyr ar eu meirch chwim, bywiog. Prif uchelgais llanciau Indiaidd yw cael gyr da o geffylau hela, a'r gêr wedi eu plethu'n gelfydd gywrain, a'u haddurno â modrwyau arian.

Wedi cyrraedd, byddant yn dewis y mannau addasaf i wersyllu, ac yna deuai negesydd oddi wrth y pennaeth at y ffermwr yn awgrymu y buasent yn hoffi cael gosod eu pebyll ar ei ffarm, ac ni fyddai fyth unrhyw wrthwynebiad.

Gwaith y *chinas*, neu'r merched, fyddai dadlwytho a gosod y pebyll i fyny, cynnau tân a gwneud bwyd; a'r llu plant bach yng ngwisg natur yn chwarae ac yn prancio gan ystwytho eu cymalau wedi'r daith hirfaith, a ninnau'r plant Cymreig yn cyd-chwarae mewn hwyl, heb freuddwydio am eiliad fod unrhyw wahaniaeth rhyngom ni a'n cymdeithion bychain melynddu. Ymhen blynyddoedd wedyn, wedi croesi Môr Iwerydd, a darllen syndod ac anghrediniaeth ar ambell wyneb Prydeinig wrth imi ddweud fy stori syml y deallais gyntaf nad yr un oedd y *du* a'r *gwyn*! A'r hyn a barai fwyaf o ofid i'm meddwl ieuanc anwaraidd i oedd – pwy oedd wedi creu'r dyn du? Nid oeddwn wedi clywed sôn ond am un Crëwr ac un dyn, ac er imi ddod i Gymru oleuedig, yn y tywyllwch yr wyf o hyd. Onid yw'r bychan melynddu, dyfodd fel blodyn gwyllt yng nghoedwigoedd yr Andes, ac a gusanwyd filwaith gan belydrau llachar haul y nef, onid yw yntau hefyd yn y byd y bu cymaint dioddef er ei fwyn? Nid yw dyrys bynciau'r greadigaeth yn aflonyddu rhyw lawer arnaf, ond mae fy hyder yn gryf y caf weld miloedd o hen Indiaid Patagonia wedi croesi'r afon fawr yn ddiogel, i wlad lle nad oes na du na gwyn, dim ond praidd y nef ac un Bugail.

Mae personoliaeth yr Indiad yn ddiddorol iawn. Mae yna rhyw dawelwch a gorffwystra yn ei wynepryd, a'i lygaid dwfn-ddwys fel pe'n adlewyrchu'r eangderau distaw. Mae pob osgo o'r corff lluniaidd mor naturiol a diymdrech â'r glaswellt dyf wrth ei draed, ac y mae nerth a mawredd y mynyddoedd yn y corff talgryf, cydnerth, fel enghraifft o ddynoliaeth iach, ddilyffethair. Diau nad oes ei debyg ar gael heddiw.

Maent yn lanwaith eu harferion, mor bell ag y caniatâ eu bywyd crwydrol: ymdrochant yn ddyddiol, a chan fod eu holl wisgoedd yn gynwysedig mewn mantell groen syml, nid oes angen golchi na thrwsio. Y fath wynfyd fuasai hynny i aml deulues drafferthus yn y dyddiau hyn.

Mae'r brodorion yn foesgar a gwylaidd ymysg estroniaid. Mae eu tân a'u bwyd yn rhydd i bawb a ddêl, eithr gwae'r teithiwr hwnnw ddigwyddo amharchu'r croeso.

Nid oes unrhyw awydd yn y brodorion i efelychu gwareiddiad. Os byddant yn synnu neu ryfeddu at unrhyw beth, nid ydynt byth yn dangos hynny; mae wyneb Indiad yn hollol annarllenadwy.

Mae yna rhyw ddieithrwch, rhyw gyfaredd, yn y wlad a'i phobl, pan eir i ddwysfyfyrio eu hanes. Ym mhob gwlad arall, hyd yn oed mewn coedwigoedd tewfrig, ceir olion ac adfeilion hen ddinasoedd, lle bu rhyw genhedloedd o'r hen oesoedd yn byw ac yn ffynnu, ond ym Mhatagonia, gyda'i harwynebedd o 300,000 o filltiroedd ysgwâr, ni cheir maen ar faen. Ond er bod gwledydd eraill yn hen, mae Patagonia yn hŷn. Mae'r llwythi crwydrol wedi bod yn cyniwair drwy'r pampas tawel ers canrifoedd, a'r glaswellt yn tyfu dros olion tân eu gwersylloedd, ond byth yn newid nac yn nodi unrhyw ran o'u hen wlad. Na, er bod Patagonia ar un ystyr yr hynaf o'r gwledydd, canys yma deuwn wyneb yn wyneb â'r amser cynhanesyddol, ysgerbydau y bwystfilod mwyaf ac eirf callestr y dyn cyntefig, heb ddim ond y blynyddoedd cydrhyngddynt, cenhedlaeth ar ôl cenhedlaeth wedi tyfu ar fynwes natur, heb ddim i nodi eu haml bererindodau ond y mân lwybrau fel gwe'r copyn dros fynydd a dôl, mor gul ac aneglur ydynt fel na all ond brodor eu dilyn.

Synfyfyria'r teithiwr ar lan afonydd dyfroedd ac yng nghesail y llynnoedd llonydd, gan freuddwydio am y cenedlaethau fu'n gwersyllu ar eu glannau, a'r miloedd anifeiliaid fu'n drachtio'r dyfroedd. Ond nid oes dim yn aros ond y mynyddoedd yn eu glas a'u gwyn, a'r pampas diderfyn gyda'u glaswellt fel tonnau'r môr, a'r gwynt Patagonaidd nad yw byth yn cysgu. Cymoedd ar ôl cymoedd, peithdir ar ôl peithdir, yr Iwerydd yn y dwyrain a'r Andes yn y gorllewin, a rhyngddynt, drwy'r holl eangderau, nid oes un arwydd dynol ond y llwybrau cul sy'n prysur ddiflannu am byth, fel mae gwareiddiad yn difa'r brodor.

Trist yw meddwl fod hen genhedloedd mor dawel, mor addfwyn, o gyneddfau cryfion, iach, gorff a meddwl, mor hen eu haniad, mor swynol eu hanes – mor anrhaethol drist yw meddwl fod y dyn gwyn gyda'i Gristionogaeth a'i ddiod ddamniol yn ysu ac yn difa fel tân pa le bynnag yr elo. Oes rhaid i'r pethau hyn fod? Dyna gwestiwn sydd wedi dwys-lithro drwy'm calon ganwaith wrth synfyfyrio ar hanes brodorion crwydrol pob gwlad: Indiaid Cochion Gogledd America, Maoris swynhudol Awstralia, a hen gyfeillion fy mebyd innau yn Ne America. Nid yw'r Sbaenwr un gronyn gwaeth na'r Ianci a'r Sais yn hyn o beth. Difa brodorion a chenhedloedd bychain yw pechod parod pob un ohonynt, ond sut mae cysoni eu gweithrediadau â dysgeidiaeth y Testament

Newydd sydd bwnc rhy ddyrys i mi ei gyffwrdd. Ond mae'r trueni a'r tristwch wedi suddo i eigion fy nghalon filwaith wrth deithio'r peithdir glân, distaw, yn nhawelwch nos ac yng ngolau gwyn y lloer.

Pan ddechreuodd Llywodraeth yr Ariannin erlid yr hen frodorion ym 1880, bu'r Wladfa yn eiriol trostynt dro ar ôl tro, eithr hollol ofer fu pob ymgais i larieiddio dedfryd haearnaidd y llywodraethwyr. Lladdwyd cannoedd yn y rhyfel anghyfiawn, anghyfartal. Aed â channoedd eraill yn garcharorion i brifddinas Buenos Aires, a rhannwyd hwy rhwng mawrion y wlad fel caethion! A phe ysgrifennid hanes y teithio tros y môr garw mewn llongau bychain caethiwus, a'r creulonderau gyflawnwyd, a'r golygfeydd ar ddec y llongau ym mhorthladd y ddinas pan wahenid y plentyn sugno oddi wrth fron ei fam, i fod yn degan mewn rhyw balas gwych lle'r oedd pechod a moethau wedi lladd yr enaid, ac y cipid bychan llygad-ddu, gydiai mor dynn yn llaw ei dad, gan ryw goegyn i'w roi ar flaen ei gerbyd o fewn cyrraedd hwylus ei chwip – gwenai'r ddinas mewn dirmyg wrth ben y syniad fod gŵr a gwraig frodorol yn caru ei gilydd, a bod yn well ganddynt ddyfrllyd fedd dros ganllaw'r llong na chael eu gwahanu – pe ysgrifennid ond y ganfed ran o'r pethau hyn, byddai yna *Gaban F'ewyrth Twm* yn Ne America hefyd, eithr ysywaeth nid oes eto un i'w ysgrifennu.

Yn y cyfwng hwn yn hanes yr Indiaid, ysgrifennai aml i hen bennaeth adfydus at fy nhad, fel yr un eiriolasai trostynt fwyaf o bawb, i ddweud ei gŵyn a gofyn am gyngor.

Fel enghraifft o'r ysbryd mawrfrydig heddychol feddiannai'r hen Indiaid yn wyneb helyntion mor alaethus, dodwn yma gopi o lythyr y Pennaeth Saihueque, hen gawr tywysogaidd yr olwg arno, ac er yn agos i saith deng mlwydd oed, sydd â'i wallt fel y nos, ei ddannedd fel yr ifori, a'i gorff fel derwen y mynydd:

Daeth i'm llaw eich nodyn gwerthfawr. Yr wyf yn trysori gyda hyfrydwch y cynghorion a'r hanesion a roddwch i'm llwyth i fod yn heddychol gyda'r Llywodraeth a chyda chwithau. Gyfaill, dywedaf wrthych yn onest na thorrais i'r heddwch a'r ewyllys da sydd rhyngof a'r Llywodraeth yn awr ers rhagor nag ugain mlynedd, a darfod i mi gyflawni fy holl ymrwymiadau wnaethwn yn Patagones yn ffyddlon.

Eithr ni allwch chwi fyth, fy nghyfaill, amgyffred y dioddefaint dychrynllyd gefais i a'm pobl oddi wrth law yr erlidwyr. Daethant yn lladradaidd ac arfog i'm pebyll trigiannu, fel pe buaswn i elyn a lleiddiad. Mae gennyf fi ymrwymion difrifol gyda'r llywodraeth ers hir amser, ac felly ni allwn ymladd nac ymryson gyda'r byddinoedd, a chan hynny ciliais o'r neilltu gyda'm llwyth a'm pebyll, gan geisio felly osgoi aberthau a thrueni, yn yr hyn y llwyddais am beth amser o leiaf. Nid wyf fi anwrol, fy nghyfaill, ond yn parchu fy ymrwymiadau gyda'r Llywodraeth ac ar yr un pryd feithrin yn ffyddlon y ddysgeidiaeth a'r gofalon roddodd fy nhad enwog, sef y prif bennaeth Chocarí, i beidio byth â gwneud niweidiau nac amharu'r gweiniaid, eithr eu caru a'u parchu yn ddynol. Er hyn oll, yr wyf yn cael fy hun yn awr wedi fy nifetha a fy aberthu, fy nhiroedd a adawsai fy nhadau a Duw i mi, wedi eu dwyn oddi arnaf, yn ogystal â'm holl anifeiliaid, hyd at hanner can mil o bennau. Oblegid hyn, gyfaill, yr wyf yn gofyn i chwi roddi gerbron y Llywodraeth fy nghwynion yn llawn, a'r trallodion wyf wedi dioddef. Nid wyf fi droseddwr o ddim, eithr uchelwr brodorol, ac o raid yn berchennog y pethau hyn. Nid dieithryn o wlad arall, ond wedi fy magu ar y tir. Oblegid hynny ni allaf ddirnad y trueni sydd wedi disgyn arnaf drwy ewyllys Duw, ond gobeithiaf y gwêl Efe yn dda fy neall o'i uchelderau, ac fy amddiffyn. Ni wneuthum i erioed rhuthr-gyrchoedd, fy nghyfaill, na lladd neb, na chymryd carcharorion, a chan hynny erfyniaf arnoch gyfryngu drosof gyda'r awdurdodau, i ddiogelu heddwch a thangnefedd ein pobl.

Gobeithiaf ryw ddiwrnod gael ymgom gyda chwi, a gwneud rhyw drefniad cyfeillgar rhwng eich pobl chwi a'm pobl i. Hyn trwy orchymyn y Llywodraeth Frodorol,
VALENTIN SAIHUEQUE.

Dyna i chwi bortread byw o'r hyn oedd hen frodorion Patagonia cyn i wareiddiad eu dirywio!

Rwy'n teimlo mai dim ond cipolwg frysiog wyf wedi allu rhoi i chwi o'r hen frodorion. Maent yn haeddu llyfr iddynt eu hunain, a gellid ei wneud yn angerddol o ddiddorol ond cael hamdden a heddwch i deithio eu gwlad a chasglu eu traddodiadau. Mae hyn yn un o freuddwydion fy mywyd, os caf groesi'r don yn ôl i wlad yr haul.

Ymhen ugain mlynedd eto, digon prin y bydd brodor yn troedio'r peithdir, a'r llwybrau cul fu gynt yn gyniweirfa pobloedd lawer wedi diflannu fel hwythau o dan las dywarchen yr hen ddaear. Fel y dyhea'r meddwl dwys am gael gwybod yr hanes fu, ond nid oes dim ddistawed â pheithdir Patagonia, na neb mor dawedog â'r hen frodorion.

Cyrraedd Teca

Rhagfyr 12fed. Cyrraedd Teca, o fewn deuddydd i ben ein taith. Dyffryn cul porfaog, a'r afon Teca mewn gwely o raean mân yn prysur redeg tua'i harllwysiad gyda'i dŵr o risial yr iâ oesol. Yma y cawsom ni olwg agos ar fawredd y mynyddoedd gyda'u llethrau coediog bytholwyrdd. Er ei bod yn ganol haf, yr oedd y mynyddoedd yn wyn a'r gwynt yn oer gethin; yr oeddem wedi teithio drwy'r dydd yn ei ddannedd, ac yn cyrraedd Teca tua machlud haul yn oer a blinedig. Yr oedd yno fasnachdy bychan gan Eidalwr, a chafodd Mair a minnau addewid o loches dan y cownter dros nos, a lloches glyd oedd hefyd. Yr oedd yno ddigonedd o grwyn pob anifail gwyllt o fewn y mynyddoedd, a tho diddos i gadw allan min y gwynt. Cawsom noson ardderchog, ac yr oedd haul y bore ar y mynyddoedd gwyn yn gwneud y byd i gyd yn wyn – teimlo'n ddedwydd, di-boen, a dibryder – a phêr awelon y pinwydd fel bywyd o wlad well.

Bore drannoeth yr oeddem yn ymwahanu; y menni yn mynd o gylch y mynyddoedd daith tridiau, a ninnau'n mynd trostynt daith diwrnod a hanner. Dringo fry, fry oedd ein hanes am oriau meithion y diwrnod cyntaf. Tua chanol dydd daethom at lyn hyfryd, glas ei ddŵr, yn llechu yng nghilfach y mynyddoedd, a'r fflamingos gyda'u gwisg o liw'r haul yn dotio ar dlysni ac urddas eu hymgyrch o amgylch ogylch y llyn mawr llydan.

Gyda'r dringo parhaus yr oedd dyn ac anifail yn lluddedig, a melys oedd disychedu ar fin y dŵr, ac i'r ceffylau gael mwynhau'r glaswellt ir ac i ninnau gael llechu yng nghysgod y llwyn bedw a pharatoi byrbryd. Pan oeddem fel hyn yn mwynhau ein hunain yng nghanol mawredd ac unigedd ein cylchynion, clywem sŵn carlamiad march yn agosáu, a daeth atom ddau frodor a bachgen bychan, yn dod yn ôl o'r helfa guanacod. Dyna yw eu cynhaeaf hwy, amser bydd y guanacod yn barod i'w lladd, a bydd y merched yn brysur yn gwneud pob math o *rugs* o'r crwyn, yn barod i'w gwerthu. Teimlwn fod ein byrbryd yn berffaith wedi cael yr hen Indiaid yno o gylch y tân i gydfwynhau. Anghofiaf fi byth fel yr oedd y crwt bach yn mwynhau'r siwgr. Nid oes gennyf ond gobeithio na fu raid iddo dalu treth drom am ei wledd o felys fwyd.

Wedi canu ffarwel â phlant natur, bu raid cychwyn eilwaith, canys yr oedd gennym daith flin cyn cyrraedd noddfa'r nos. Dal i ddringo yr oeddem o hyd nes oeddem yn teimlo ein bod bron cyrraedd byd y cymylau. O'r diwedd daethom at ddibyn fel mur tŷ ac islaw, ar y dyffryn bychan gwyrdd oedd draw mewn cilfach gysgodol, gwelsom fwthyn clyd a mwg y simne yn ymgodi tua'r copaon gwyn.

'Dyna ben y daith heno,' meddai'r arweinydd.

'Ond sut mae mynd yno?' meddem, yn syn ar fin y dibyn erchyll.

'Yn syth i lawr ffordd hyn.'

Cefais gynnig cerdded i lawr ac arwain fy ngheffyl, ond ni welwn rhyw lawer o ddewis rhwng i mi fynd lawr gyda'm ceffyl nag i'r ceffyl ddod lawr ar fy nghefn, a barnwn os oedd fy nghydwladfäwr gyd-drotiodd i'r ysgol gyda mi yn mentro ar ei ben i'r dibyn, fod cystal cyfle gennyf innau i gyrraedd y gwaelod yr un pryd â'm hysgrublyn. Beth pe caffech *snapshot* ohonom yn gwneud y daith fythgofiadwy honno! Wedi mynd ychydig lathenni, byddai'r cyfrwy a ninnau rhwng dwy glust y ceffyl, a phan fyddem yn mynd drosodd, rhoddai'r hen geffyl deallus hwb yn ôl i ni â'i ben nes y byddem yn teimlo'n weddol ddiogel, ac fel yna, o lathen i lathen, gan droi a throelli igam-ogam nes cyrraedd y gwaelod. Ac yna rhoed ochenaid ddofn, ddofn, o waelodion calonnau diolchgar. Pan aethpwyd i edrych yn ôl, bu raid peidio, yr oedd yr hen fyd yma'n troi yn gyflymach nag arfer rywsut, hwyrach ei fod o'n mynd yn gynt yn yr Andes.

Cawsom groeso Cymreig, cynnes, gan deulu'r bwthyn. Yr oedd yno blant bach pert a gwrid y mynyddoedd ar eu gruddiau, a nwyf yr awel yn eu camrau chwim. Rhyfedd oedd cysgu mewn tŷ. Roeddwn yn chwilio am y sêr bob tro y deffrown, ac nid oedd fy nghyfeilles a minnau yn cysgu hanner cystal, a ddim yn deffro yn y bore fel ehedydd yn barod i ganu o wir lawenydd calon. Ond yr oeddem ar frys i gychwyn y bore arbennig hwn, canys onid dyma ddiwrnod olaf y daith? Byddem wedi cyrraedd Bro Hydref cyn machludo o'r haul, y sefydliad bychan Cymreig sydd megis yn nythu o dan gysgod yr Andes gwyn.

Ond os oedd mur i fynd *lawr* ddoe, yr oedd yna fur i fynd *fyny* heddiw, dringo fel ceirw chwim yr Andes, a diau mai eu llwybrau hwy fu'n foddion i ddangos y ffordd i'r teithwyr cyntaf. Yr oedd perygl bod rhwng dwy glust y ceffyl ddoe, ond dyna'r unig fan diogel heddiw. Ond yr oedd pob mynydd a phant yn ein dwyn yn nes i ben y daith, ac felly yr oedd pob blinder a pherygl yn diflannu yn y dyhead am weld wynebau hen gyfeillion mebyd, a'r bythynnod coed a'r to gwellt y clywsom gymaint o sôn amdanynt.

Er bod y mynyddoedd yn wyn, eto, wedi cyrraedd y gwastadedd, yr oedd yr hin yn hafaidd, a ninnau yn ei fwynhau yn fwy oherwydd yr atgof am wynt rhewllyd y Teca. Fel yr ymdeithiem ymlaen yn araf, daeth rhai o'r bythynnod i'r golwg, ond ymhell oddi wrth ei gilydd, rhyw dair llech cydrhyngddynt. Dechreuodd ein harweinydd eu nodi allan. 'Dacw'r Garreg Lwyd a'r Mynydd Llwyd un ochr iddo, a'r coed pinwydd yn harddu ei fron, doldir hyfryd o flaen y bwthyn, gyda nant loyw, loyw. Draw gwelwch Barc Unig yn llechu yn ei fedw lwyn. Mae'r pistyll sy'n disychedu trigolion y bwthyn acw yn un o'r rhai hyfrytaf yn y fro.' Ond ymhell cyn dod i olwg Capel y Llwyn, Tŷ Coch, Afon Llwchwr, a Throed yr Orsedd, yr oeddwn wedi mynd yn fud. Nid yr olygfa yn unig oedd yr achos o hynny, nid mewn munud awr y sylweddolir tlysni a mawredd yr olygfa, ond yr oedd fy meddwl wedi glynu wrth yr enwau Cymraeg swynol a phersain. Yr oeddwn dros naw mil o filltiroedd o Wyllt Walia, ac eto, mewn cilfach o'r Andes mawr, yn eithaf Patagonia, wele'r capel Cymreig syml, a'r hen enwau cysegredig mewn atgof a hiraeth am Eryri wen a'r 'bwthyn lle cefais fy magu'.

Mae'r Wladfa fechan ar y goror rhwng Chile ac Archentina, dwy wlad fawr Babyddol, lle mae gwareiddiad ganrifoedd ar ôl Cymru wen. Beth wna'r fagad fechan Brotestannaidd hon megis yn ffau'r llewod rheibus? Bu Daniel fan honno hefyd, ond yr un yw Gwyliwr y llew o hyd. 'Yr Arglwydd yw fy ngoleuni a'm hiachawdwriaeth, rhag pwy yr ofnaf? Yr Arglwydd yw nerth fy mywyd, rhag pwy y dychrynaf?' Dyna'r geiriau cyntaf glywais yng nghapel bach y Llwyn fore dydd Nadolig, 1899.

Llawer o helynt a phryder parhaus sydd parthed y ffin rhwng Chile ac Archentina, ond y mae yna ffin Geltaidd yn tyfu'n ddistaw ddwys, a Brenin Tangnefedd ar orsedd y cwmwl gwyn yn teyrnasu.

Bu raid ymysgwyd o'r myfyrdodau hyn, canys yr oeddem wedi cyrraedd Tŷ Coch, a hen gyfeillion annwyl yn estyn deheulaw mewn croeso a llawenydd, o'r henafgwr pedwar ugain oed hyd at y bychan penfelyn na welsai'r Gamwy droellog erioed. Mefus aeddfed a blodau amryliw, dyna'r pethau cyntaf dynnodd ein sylw ar ford y Tŷ Coch, croeso natur i'r teithwyr ar ddiwedd y daith. Beth felysach a pheth mor swynol? Blinedig iawn oeddem yn cyrraedd, ond yr oedd y croeso mor gynnes, a'r gip gyntaf ar swynion yr Andes wedi gwneud i flinder ffoi.

Nid oedd danteithion y deulues groesawus yn abl i'm cadw o fewn muriau'r tŷ. Allan y mynnwn fynd i syllu'n ddiflin ar y coed hyfryd oedd o gylch y tŷ, a'r oll yn plygu'n wylaidd o dan bwys eu blodau persawrus, a'r afon Llwchwr yn murmur ei neges wrth basio ar ei thaith. Carped o fwswgl sydd yng nghoedwigoedd Cymru, ond dyma wlad a'i charped o fefus ffrwythlon melys. Teithiais ugeiniau o filltiroedd ym mhob cyfeiriad tra'n aros yn y fro, ond ni chollais fy nghyfeillion pêr yn unman: gwlad yn llifeirio o laeth a *mefus* yng ngwir ystyr y gair.

Yn Nhroed yr Orsedd yr oeddem wedi trefnu i wneud ein cartref tra yng ngwlad y mynyddoedd. Felly yr oedd gennym i groesi'r afon Llwchwr eto cyn cyrraedd pen y daith. Rhydio'r afon a wneir, ac i'r rhai cyfarwydd mae'n waith digon hawdd. Yr oeddwn wedi arfer rhydio'r Gamwy, ond nid yw hi'n brysio ar ei thaith fel afonydd yr Andes. Pan gychwynnodd ein harweinydd drwy'r Llwchwr, yr oeddwn i'n syllu ac yn dotio ar y graean mân a gloywder y dŵr, a phan godais fy ngolygon, gwelwn fy nghyfeillion ar ganol yr afon yn mynd gyda rhyw gyflymder ofnadwy. Gwaeddais arnynt i anelu am y lan ond chwerthin yn iachus wnaent, gan ddweud mai am y lan yr oeddynt yn mynd, a phan euthum innau i ganol yr afon, mynd yr oeddwn innau hefyd fel nad euthum erioed o'r blaen. Ynteu'r dŵr oedd yn mynd? Barned y darllenydd.

Yr oedd ein ffordd yn mynd drwy'r coed yn awr, coed pinwydd, coed bedw, banadl, drain gwynion, a llu o rai dieithr nad oes ond enwau Sbaeneg arnynt. Yr oedd y cwmni yn llawen, ond gwell fuasai gennyf deithio mewn distawrwydd, yr oedd arswyd y mynyddoedd mawr arnaf. O mor druenus fychan oeddem, a dyma natur fel y daeth o law y Crëwr cyn ei 'gwella' gan ddynoliaeth eiddil, afiach. Buaswn yn hoffi rhoddi pwys fy mhen ar y ddaear wyrddlas gan sisial, 'Pechais, nid wyf fi deilwng.' Clywais lawer pregeth ar ostyngeiddrwydd a gwyleidd-dra, ond dyma bregeth! O na fuasai gennyf ysgrifbin o aur wedi ei wlychu yng ngwlith y wawr i ysgrifennu cenadwri natur at ei phlant. Mae ei llais mor ddistaw dyner, mae ei dagrau ar bob deilen werdd, a'i miwsig lleddf, swynol, ym mhob ffrydlif risialog. Mawr y sôn am emynwyr Cymru:

dowch gyda mi i'r Andes; dyma emynwyr y nef, fyrddiynau ar fyrddiynau ohonynt. Beth maent yn ddweud? A, dyna eu cyfrinach: 'Gadewch i blant bychain ddyfod ataf fi.' 'Y pur o galon a welant Dduw.' 'Yr addfwyn a etifeddant y ddaear.' Dyma'r gynulleidfa sy'n gwrando ar y Côr Mawr yn mynd trwy'r prif ddarn.

Troed yr Orsedd

Ond wele Droed yr Orsedd. Un ystyr sydd gan drigolion y Fro i'r enw, ond y mae gennyf fi ddau.

Gorsedd y Cwmwl – dyna enw'r mynydd sydd y tu cefn i'r bwthyn. Fe welir wrth hyn mai purion enw roddwyd ar y cartref. Ond ni ddywedaf ail ystyr yr enw nes cyflwyno'r teulu mwyn. Dacw'r hen gyfaill Dalar wedi ein gweld, ac yn prysuro i'n croesawu. Yr oedd cymaint o amser er pan welswn ef a'i deulu mân, fel yr oedd yn rhaid i mi gael eu henwau oll yn gyntaf dim, a iechyd i bob Cymro fyddai gwrando arnynt – Irfonwy, Brychan, Morgan, Siân, Ioan, Briallen, Madryn, Eurgain – a breintiwyd y plant nwyfus hyn â mam dyner, ddwys o'r enw Esther. Onid yw pob calon Gymreig yn dotio at dlysni'r rhestr, a chyn mynd i orffwys y noson gyntaf yn y Fro yr oeddwn wedi dotio mwy at y plant hyd yn oed na'r enwau.

Tua naw o'r gloch gwelwyd yr hen Feibl mawr yn cael ei ddodi ar y ford, a'r plant bach yn crynhoi gylch yr aelwyd. Mor syml a dirodres y gwneid hyn fel nad oedd toriad ar yr ymddiddan, ond wedi gorffen y sgwrs, dyma gôr yr aelwyd yn dechrau canu. Nid oedd yno neb ond y fechan hunai ym mynwes ei mam nad oedd yn canu, y lleisiau bychain pur yn codi yn un anthem o orfoledd. Byddaf yn credu bob amser fod ar Satan fwy o ofn plant bach yn canu hanes Iesu na dim. Gwelais ymwelwyr yn gorfod mynd allan o'r bwthyn wrth Droed yr Orsedd pan fyddai ei genhadon bychain ef yn canu eu 'Nos Da'. Wedi'r canu, caem y darllen, a sylwais mor fanwl fyddai'r dewisiad, rhywbeth i nerthu a chalonogi bob amser. Ac yna, caem oll gydaddoli, cyd-ddiolch am nodded y dydd a chyderfyn am nodded y nos. Yr oeddwn wedi clywed sôn am aelwydydd fel hyn yng Nghymru lân, ond ni ddaeth i'm ffawd weld yr un hyd nes teithio i eithafoedd y ddaear at Droed yr Orsedd, a bydd yn yr enw ystyr cysegredig i mi hyd ddiwedd oes.

Yr oedd fy nghyfeillion yn awyddus am i mi orffwys ychydig cyn dechrau teithio i weld y wlad oddi amgylch. Ond yr oedd y cylchynion hyfryd a'r awel iachus wedi'm llanw â'r fath nwyf ac ynni fel na allaswn fod yn llonydd pe mynnwn. Y peth cyntaf welwn drwy ffenestr fy ystafell bob bore oedd Mynydd Llwyd, a'i gopa gwyn ym myd y cymylau. Yr oedd yn demtasiwn ac yn swyn anorchfygol i mi, a rhaid oedd ffurfio cwmni i ddringo i'w ben. Nid oedd ond un person wedi bod fan honno erioed, a bygythid pethau mawr arnom am ein rhyfyg. Cychwyn ar ddiwrnod tawel, hafaidd, ar geffylau, fel pob Patagonwr. Yr oedd gennym daith bell cyn dod at lethr y mynydd, a chodi bwganod oedd gwaith y cwmni ar hyd y ffordd. Ond wedi dechrau dringo, yr oedd gan bawb ddigon o waith edrych ar ei ôl ei hun a'i ysgrublyn truan. Bu dadl fawr wrth droed y mynydd. Yr oedd ar rai eisiau gadael y ceffylau fan honno, a'i throedio i fyny.

'Wfft i shwt ddwli,' ebe bechgyn glew y Paith, 'i beth mae'r ceffylau dda?'

Ond yn wir, yn wir, rhyngoch chwi a minnau, buasai'n well gennyf ei throedio o lawer. Yr oedd gweld yr hen geffylau yn ymladd am eu hanadl ac yn syrthio bendramwnwgl ar draws y cerrig yn boenus i'r eithaf. Ond fry, fry, yr aem o hyd, a min yr awel i'w deimlo yn fwy o hyd. O'r diwedd, daethom i le nas gallai'r un ceffyl basio, ac felly cefais yr hyfrydwch o'u gweld yn gorffwys, tra ninnau yn pelo ymlaen yn nannedd y gwynt, oedd eisoes yn chwythu bygythion.

Wrth sôn am fynydd, mae dyn yn meddwl am graig gadarn o dan draed o hyd, ond dyma fynydd na saif yn llonydd yr un funud, mynydd anferth o gerrig mân. Dywed Darwin yn ei nodiadau ar Patagonia mai effaith yr iâ oesol ar y graig yw hyn, a rhyfedd meddwl fod yr eira distaw yn gallu gwneud y fath waith aruthrol. Wrth fod y mynydd yn rhoi ffordd o dan ein traed, yr oedd teithio yn waith anodd ac araf iawn, ac yr oedd y gwynt erbyn hyn yn anterth ei gynddaredd, a hwnnw mor rewllyd nes fod perygl i ni gael ein parlysu gan yr oerfel, a'r awyr mor fain yn yr uchder ofnadwy nes mai trwy boen dirfawr y gellid anadlu. Ond yr oedd copa'r mynydd yn ymyl, ac o, yr oedd arnom eisiau sefyll ar ei ben! Hwb fach ymlaen eto, ond 'lawr â chwi' meddai'r gwynt. Ac fel yna, o gam i gam, yn destun gwawd i'r gwynt, y cyraeddasom y copa gwyn, ac y sangodd ein traed ar y fath balmant o iâ nes mae arswyd lond fy nghalon y funud yma wrth sôn amdano.

Ceisiasom sefyll ar ein traed er mwyn cael cip ar yr olygfa ogoneddus o'n hamgylch, ond bu raid i bawb wneud hynny yn ei dro, a'r gweddill ohonom i ddal fel bachau haearn yn yr edrychydd rhag cymryd ohono adenydd a hedeg fry, fry, uwch y cymylau, lle y gwelem y condor anferth, brenin yr awyr, fel llong dan lawn hwyliau, yn hofran yn yr uchelderau aruthr, yn gwylio'r dyffryn am filltiroedd, mewn gobaith am ysglyfaeth, byw neu farw.

Mae'r condor yn un o ryfeddodau'r byd ymysg yr ednod. Prin y mae'n werth i mi ddweud fod ei dryfesur yn un droedfedd ar bymtheg pan ar ei aden, chred neb mohonof, mae'n swnio mor anhygoel. Ond i rywun sydd wedi ei weld yn ei gartref mynyddig mae'n olygfa fythgofiadwy. Mae ei blu mor ddu â chysgod y mynydd yn y nos, a choler o fân-blu gylch ei wddf cyn wynned ag eira'r mynydd ar lawn lloer; mae ei lygaid fel sêr y bore'n machlud, a gwrid y wawr o dan bob ael; ei big yn bedair modfedd o hyd, ac fel ellyn dau finiog.

Ei elyn mwyaf yw ei lythineb. Pan gaiff ysglyfaeth wrth ei fodd, fe wledda arno i'r fath raddau fel na all ei ddwy aden, er cryfed ydynt, godi'r corff glwth oddi ar y ddaear, a dyna bron unig gyfle'r heliwr; unwaith yr esgyn y condor i'w gartref ar binaclau uchaf yr Andes, nid yw saethwyr â gynnau ond megis gwybed iddo. Ni all unrhyw allu oddi lawr ei ddiorseddu: gall dinistr ddod oddi fyny, pe digwyddai i Geidwad y Porth erchi i filwyr y mellt anelu eu saethau tua'r cartref creigiog. Er bod y condor yn greadur mor ysglyfaethus, anodd peidio ei edmygu: mae golwg ardderchog arno, mae'n frenin ar fyd mor fawr ac mor wyn.

Ond bu raid ymysgwyd o'r holl fwyniannau hyn, canys gwelem er ein dychryn fod yr haul bron machludo, ac y buasai'n amhosibl i ni gyrraedd diogelwch cyn y nos, ac i ni fynd yn ôl yr un ffordd ag y daethom. Ond nid oedd neb wedi mynd i lawr ar yr ochr ogleddol erioed! Wel, yr oedd yn rhaid i ni fynd, neu rewi ar y mynydd, ac yr oeddem bron yn y cyflwr hwnnw eisoes.

Erbyn dod i olwg y disgyniad ar yr ochr ogleddol, safem yn fud mewn arswyd ac ofn, ond yn fy myw nis gallwn beidio teimlo mor fendigedig ydoedd yr olygfa. Edrychwch, dyma flodau yng nghanol yr eira a'r oerni. Maent yn edrych mor siriol â phe mewn nyth o fwswgl, ac mor bersawrus â'r briallu yn y doldir, a rhyfedd mor debyg i'r friallen ydynt o ran eu ffurf, ond fod y lliw fel glas y nen. Yr oedd awydd arnaf dynnu tusw, ond edrychent mor bur ac mor ddedwydd fel na allwn eu cyffwrdd, dim ond sisial, 'Ffarwel, flodeuyn bach, eiriol drosof fi.'

Gwelwyd nad oedd diben i ni ymddiried ein hunain ar y ceffylau mwyach, yr oedd y disgyniad yn rhy serth. Felly gollyngwyd hwy i ymdaro orau gallent, gan obeithio y deuem o hyd iddynt rywle tua godre'r mynydd. Ni allem ninnau gerdded i lawr, dim ond llithro a llywio'n hunain â'n dwylo ac â'n traed orau gallem. Wedi i ni ddechrau cynefino â'r gwaith, cawsom hwyl yn iawn. Llawer chwerthiniad iach glywyd yn atsain rhwng y creigiau cylchynol, a phan ddeuem i ddarn go wastad, torrem allan i ganu ambell hoff emyn. Cyrhaeddom y gwaelod yn ddiogel, wedi anghofio ein holl ofidiau, a chan feddwl am y gwynfyd mwyniant gawsom.

Gwyddem fod tŷ y cyfaill Jacob Morgan heb fod nepell ac y caem lety clyd a chroeso cynnes gan y deulues hawddgar. Beth pe dywedwn hanes y te arbennig hwnnw wrthych ar ôl bod o godiad haul hyd ei fachlud yn teithio yn awel y mynydd heb dorri newyn unwaith? Rwy'n sicr fod gan Mrs Morgan gof byw am y pryd bwyd hwnnw, ond nid wyf fi'n mynd i ddweud yr hanes heb ganiatâd y cwmni.

Yr oedd yna ryw obaith distaw ymysg y cwmni y buasai Eluned wedi blino gormod i gychwyn taith arall drannoeth. Ond cefais y fath noson o gysgu ardderchog, fel yr oeddwn yn teimlo fel ewig fore drannoeth, a phan aethpwyd i sôn am Ddyffryn Oer a'r llyn hyfryd oedd yno, a thaith drwy goedwigoedd a chorsydd i fynd yno, parod fi ar y funud. Ond aeth y cwmni ar streic. Mynnai pedwar fynd adref. Arhosodd un gyda mi, ac unodd Mrs Morgan, fel yr oeddem yn dri yn cychwyn i'r Dyffryn Oer, tri deg milltir o ffordd, a buom yn teithio o naw y bore hyd naw y nos, drwy erddi o fefus aeddfed hyfryd, drwy goedwigoedd tewfrig, drwy gorsydd lleidiog, i fyny ac i lawr y cymoedd. Nid oedd ond un bwthyn bugail unig yn yr holl ddyffryn, ond pe buasai yn balas y tylwyth teg ni fuasem falchach o'i weld. Byddaf yn credu'n ddistaw fod y bugail wedi ein cymryd ni fel rhai o drigolion Gwlad Hud y noson honno, gan mor annisgwyl ein hymweliad ar awr mor hwyr o'r nos. Ond bydd gennyf gof melys am groeso'r bugail a lloches ei fwthyn unig, a murmur y nant a'm suodd i gysgu, a sŵn tonnau tryloywon y llyn a'm deffrodd yn y bore, a'r bugail caredig ei galon farchogodd dair milltir yn oriau mân y bore er mwyn i'r teithwyr gael llaeth iachus i'w borefwyd.

PENNOD X

Dilyn yr Afon

Credaf fod trigolion Troed yr Orsedd braidd yn synnu fy ngweld yn cyrraedd adref a'm hesgyrn yn gyfan, a bu y ffaith imi gyrraedd yn fyw yn help i mi ffurfio cwmni arall i wneud taith i lawr yr afon Caranlewfw (afon las). Hon yw'r afon fwyaf yn y cylchynion, ac yr oeddwn wedi clywed llawer am ramant a mawredd ei golygfeydd gan yr unig un fu'n troedio ei llwybrau dyrys, Percy Wharton, un o sefydlwyr cyntaf y Fro, a'r mwyaf egnïol a gweithgar, yn Gymro pur er gwaethaf ei enw, ac yn delynor gwych. Rhyfedd oedd gweld yr hen delyn swynol yn y caban coed wrth odre'r Andes.

Ar y daith hon yr oeddem yn chwech mewn nifer, pedair o wyryfon, yr arweinydd Percy, a Brychan. Cychwynnem gyda thoriad gwawr, gan gymryd gyda ni ddigon o luniaeth am un byrbryd. Ni allasom fynd ymhell ar ein ceffylau oherwydd y coedwigoedd anferth a'n cylchynai ym mhob cyfeiriad, ac yr oedd arnom ninnau eisiau dilyn yr afon er mwyn gweld y *Rapids*. Mewn rhyw gwmwd bychan porfaog gwnaethom ein ceffylau yn ddiogel, a chychwynasom ar y daith oedd i fod yn fythgofiadwy inni mwy. Gwaith anodd ac araf iawn oedd teithio oherwydd y drysni; gellid meddwl yn aml mai rhai o bedwar carnolion y ddaear oeddem gan y teithiem ar draed a dwylo dros lawer llecyn dyrys. I atodi at ein llafur, yr oedd yn ddiwrnod hafaidd iawn: yr oedd y coed yn cysgodi'r haul mae'n wir, ond yr oeddynt yn cysgodi'r gwynt hefyd, fel na chaem yr un awel i'n hadfywio.

Wedi teithio am rai oriau fel hyn, clywem lais Percy yn y blaen yn traethu newyddion da: 'Mae'r *Rapids* gerllaw.' Ust, gadewch i ni wrando, rhyw sŵn rhyfedd yw hwn, fel storm o wynt cryf yn dod drwy'r goedwig, a tharanau'r nef yn chwyddo'r twrf. Ond dyma'r afon, a fry gwelwch – ie, beth welwn wir? Mae arnaf eisiau taflu'm harfau lawr fan hyn – a ffoi? Nage, byddwn fodlon cerdded mil o filltiroedd i gwrdd â'r fath allu â hwn. Ond pa fodd i ddweud yr hanes, ddarllenydd mwyn, pe buasai gennyf ysgrifbin a chyfoeth geiriau y naturiaethwr hyglod o Lanarmon yn Iâl,[3] buasai gobaith i chwi gael disgrifiad cywir o'r olygfa ogoneddus y safem yn fud o'i blaen. Pe buasai gennym eiriau i'w dweud, amhosibl fuasai clywed dim. Yr oedd natur ym mawredd ei brenhiniaeth yn teyrnasu, ac nid oedd i ni, bethau bychain, eiddil, ond plygu pen yn wylaidd mewn arswyd ac edmygedd mud.

Yr oedd yno balmant o graig anferth bron wrth ben y *Rapids*, a phenderfynwyd dringo i'r fan honno i orffwys a mwynhau. Disgynnai'r dŵr o uchder aruthrol. Yr oedd yr haul yn tywynnu arno hefyd, a pha arlunydd yn y byd all ddweud beth oedd lliw'r dŵr hwnnw? Yr oeddwn i'n meddwl am enfys wedi troi'n ddŵr, ac yn disgyn ar ein daear yn ei liwiau o wawl y nef. Ond nid oedd natur yn fodlon ar y dŵr yn unig yn ei darlun, plannodd ddwy goeden *fuchsia* un bob ochr i'r *Rapids*. Gwnaeth iddynt dyfu fel coed derw Gwyllt Walia. Yr oedd greddf y pren yn ei dynnu tua'r dyfroedd, yn plygu, plygu, nes cusanu'r ewyn gwyn llachar. Daeth y blodau ar lun clychau'r nef, neu ynteu a fu yma lu o seraffiaid yn hofran uwchben, a'u calonnau mor llawn wrth weld tlysni ei greadigaeth Ef nes disgyn o'u dagrau fel perlau rhwng gwyrdd ddail y pren. Ond rhaid tewi, rwy'n gweld natur yn gwgu mewn dirmyg wrth ben fy ngeiriau gwael. Maddau, Frenhines dirion, a thywys fi yn ôl dy draed.

---

[3] Anodd dweud i sicrwydd at bwy y cyfeiria Eluned Morgan yma, ai at yr hynafiaethydd John Lloyd, 'Blodau Llanarmon' (1733-93) a fu o gymorth mawr i Thomas Pennant (gweler *Y Bywgraffiadur*), ynteu o bosibl at y Thomas Parry a aned yn Llanarmon ond a fudodd i'r America ac a aeth yn genhadwr at yr Indiaid Cherokee ym 1821; cyhoeddwyd llythyrau ganddo yn *Goleuad Cymru* yn disgrifio ei deithiau a'i brofiadau ymhlith y brodorion (gweler Hugh Ellis Hughes, *Eminent Men of Denbighshire* (Lerpwl, 1946), t.60).

Er mor anodd oedd ymysgwyd o'r perlewyg yma, rhaid oedd cychwyn eto os am weld ychwaneg o ryfeddodau'r afon fawr hon. Yr oedd y golygfeydd o'n cwmpas yn cynyddu yn eu rhamant, mynyddoedd gwynion yn ymgodi ris ar ôl gris nes ymgolli ohonynt yn y cymylau. Wrth deithio drwy'r dyrys lwybr, daethom at enau ogof helaeth. Gan fod y gwres mor arteithiol, meddyliem mai melys fyddai lloches yr ogof am ennyd. Erbyn cyrraedd y gwaelod, yr oeddem yn dechrau crynu gan yr oerfel. Yr oedd llawr yr ogof yn orchuddiedig â rhedyn hyfryd, mân, mân ei ddail: muriau'r ogof fel pe wedi eu gorchuddio â gemau gan fel y disgleiriai clychau'r iâ *(icicles)* ym mhob cyfeiriad. Ond bu raid ffoi am einioes. Hanner awr mewn awyrgylch mor eithafol oer fuasai'n ddigon i dawelu calonnau ieuainc, nwyfus fel yr eiddom ni.

Ymlaen eto. Yr oedd rhai o'r cwmni yn dechrau teimlo'n lluddedig iawn, ac yn barod i droi'n ôl, ond yr oedd addewid y caem olwg ar ddau lyn yn ymagor o'r afon, a bod ardderchogrwydd yr olygfa yn werth aberthu llawer er ei mwyn. Yn araf iawn y teithiem yn awr oherwydd y gwres a'r blinder. Rhannodd y cwmni yn ddau unwaith, y naill ran am fynd at lan y llyn, a'r llall am aros i ddisgwyl ei ddyfodiad yn ôl. Ond pan gyrhaeddodd y cwmni cyntaf y llyn, gwelem y gweddill yn dod yn araf, araf. Nid oeddynt am eu trechu ychwaith, a chwarae teg iddynt hefyd, bu gennyf fwy o feddwl ohonynt byth wedyn.

Yr oedd y gwres yn llethol, ond yr oedd bywyd a nerth yn nŵr y llyn godidog. Yr oeddem yn methu peidio ag yfed. Ymolchem a chwaraem yn y llyn hyfryd, fel pe'n benderfynol o dderbyn iachusrwydd a phurdeb ei ddyfroedd. Nid oedd enw arno ar fap y byd, canys ni wyddai neb am ei fodolaeth, oddieithr y rhai eisteddent ar ei lan, a'r mynyddoedd mawr fel pe'n edrych yn syn ar y weledigaeth ryfedd hon. Deuai'r adar o'n cwmpas mewn cywreinrwydd, gan ddweud cyfrinachau lawer wrthym. Y fath resyn na fuasem ddigon pur ein calon i'w deall, onide? 'Llyn y Gwyryfon', dyna oedd ei enw bedydd, ni wn a gedwir yr enw pan ddaw mawredd yr Andes yn enwog ymysg gwledydd y ddaear. Ond ni fydd yn ddienw byth mwy.

Troi'n ôl i wynebu'r drysni a'r rhwystrau i gyd eto, dyna oedd yn tynnu'r melyster a'r swyn o'r daith. Ond yr oedd yn rhaid mynd drwyddynt, ac yr oedd ein harweinydd yn dechrau pryderu pa un a allem gyrraedd ein ceffylau cyn y nos. A chywir oedd ei ofn. Mor flinedig oeddem fel y penderfynwyd lawer gwaith orwedd i lawr man yr oeddem hyd y bore. Ond yr oeddem yn rhy newynog i gysgu, gan ein bod wedi gwneud camgymeriad difrifol yn hyd y daith wrth ddarparu'r lluniaeth. Yr oeddem wedi cychwyn er toriad dydd, yr oedd yn awr yn hwyr o'r nos, a ninnau'n dal i deithio yng ngolau'r sêr drwy anawsterau fil. A theithio buom hyd doriad gwawr drannoeth. Yr oedd fy nghyfeillesau ieuainc yn anghynefin â cherdded, plant y Wladfa oeddynt, heb arfer dringo a theithio hen gymoedd a mynyddoedd Gwyllt Walia. O'm rhan fy hunan, buaswn yn hoffi rhoi pwys fy mhen ar ryw hen foncyff yn gorffwys yn ei wely mwswgl, a disgwyl am heulwen y bore. Cefais dreulio noson felly wedi hyn pan gollasom y ffordd ar y mynydd, ac y bu raid imi, ar ôl crwydro am oriau, wneud tanllwyth o dân, a gorffwys ym mreichiau natur. Ni fu mam mor dyner erioed i suo ei phlant i gysgu. Mae'r ddaear mor werdd ac mor esmwyth, mae perarogl y cwrlid y fath nad oes apothecari yn y byd all ei efelychu, na thywysogion ei bwrcasu er maint eu cyfoeth.

Tra'm henaid yn gwibio fel hyn, yr oedd y babell frau yn poenus deithio tua Throed yr Orsedd; weithiau'n cerdded, weithiau'n cropian, weithiau'n dringo fel geifr gwylltion, ond cyn prin ddadebru o'r wawr, drannoeth y cychwyniad, wele ben y daith – gorffwys a lluniaeth. Yr oedd y caban coed yn dawel a thywyll, ond buan y caed goleuni, ac yna, torrodd allan y fath fonllef o chwerthiniad iachus nes deffro pawb drwy'r tŷ. Y tywyllwch a guddiasai lu o arwyddion y daith, ond dyma ni yn cael cip ar ein gilydd yn awr, cwmni o *Christy Minstrels* wedi bod ar eu sbri gwyllt, wynebau a dwylo'n rhychau duon addurniadol, a'n dillad yn gyrbibion mân, pob un yn ddrych byw o fwgan brain. Anghofiaf fi byth mo'r olygfa na'r hwyl. Diflannodd pob blinder yn y fonllef gyntaf, ac erbyn i ni ddechrau sobri a dofi, yr oedd Morgan yn canu grwndi'n siriol, a thinc y llestri yn llawenhau'r galon.

Dydd Nadolig

Ymhen deuddydd wedi hyn yr oedd yn ddydd Nadolig, a mawr y paratoi erbyn y te a'r cwrdd adloniadol oedd i fod yn ddathliad yng Nghapel y Llwyn: côr Dalar yn cwrdd yn aml, côr yr aelwyd yn prysur baratoi, minnau'n helpu gwneud danteithion ac yn mynd am ambell wib i'r coed i roi tro ar ambell unawd a chôr y wig yn cyfeilio, er bod Dalar yn bygwth gwartheg gwylltion arnaf, ac y ceid hyd i mi ryw fore fel epa ym mrig y coed. Cafwyd diwrnod hyfryd a hafaidd, er bod y mynyddoedd yn dal yn wyn. Cyrchodd pawb i dŷ'r wledd yn eu gwisgoedd glân a destlus, golwg ddedwydd, iachus ar bawb. Yma y cefais weld fy holl hen gyfeillion am y tro cyntaf. Yr oeddwn wedi bod yn rhy brysur yn ceisio torri fy ngwddf, ys dywedai Dalar, i fynd fawr o gwmpas y tai.

Wedi cael eu gwala o'r danteithion, cyrchai pawb tua chysgod y bedw lwyn i eistedd a mwynhau ymgom. Yma hefyd yr oedd y ceffylau ffyddlon sydd yn rhan mor bwysig o'n bywyd Patagonaidd.

Dechreuodd y cwrdd yn gynnar er mwyn i bawb gael cyrraedd adref cyn y nos oherwydd pellter y cartrefi. Cwrdd chwaethus, nwyfus, yn llawn o'r hen dân Cymreig, fel pe buasid mewn cwrdd llenyddol yn rhannau gwledig Sir Gaerfyrddin neu Sir Feirionnydd, ac eto, nid oes yn ein cylchynion na'n dyletswyddau beunyddiol dim cyfatebol i'r bywyd Cymreig yng Ngwalia Wen. Rhyfedd fel y glyn cariad y Celt yn ei lên a'i gân ym mhob rhan o'r ddaear, pethau annwyl, pethau cysegredig y Cymro, maent yr un mor annwyl iddo wrth odre'r Andes â phe wrth odre'r Wyddfa. Bu Lloegr â phob gallu a dyfais yn ceisio newid serch a thueddion y Cymro, ond yn ofer – ac am ddim y llafuriodd. Mae Archentina, hithau, yn ceisio mynd drwy'r un oruchwyliaeth â'r fagad fechan Gymreig a sefydlodd o fewn ei thiriogaeth, ond mae traddodiadau'r tadau yn fur rhy drwchus i unrhyw allu Lladinaidd dreiddio drwyddo.

Yr oedd y cwrdd Nadolig wrth droed yr Andes wedi fy nghodi i'r fath hwyliau fel na allwn fod yn llonydd ar ôl cyrraedd adref wedi'r cwrdd. Yr oedd yno liaws o gyfeillion wedi dod yn ôl gyda ni; yr oedd yn noson lawn lloer. Ar lethr Gorsedd y Cwmwl, yng nghanol y goedwig, yr oedd un o'r rhaeadrau hyfrytaf yn y Fro. Yr oeddwn wedi bod yn ei weld a'i fwynhau yng ngolau llachar yr haul, a meddyliwn mor swynol fuasai cael un cip arall arno ar nos Nadolig yng ngolau gwylaidd y lloer.

Yr oedd Dalar bron credu, os byddwn yn y Fro yn hir, yr awn yn wyllt, ac mai yn y coed y byddwn byw; ond yn rhadlonrwydd ei galon daeth gyda ni, y cwmni llawen yn dathlu gŵyl Nadolig. Teithiem yn heini dan ganu carolau ac addurno ein hunain â blodau'r banadl a'r *meluspia*. Yr oedd y lloer yn gwenu'n siriol arnom fel pe'n cydfwynhau. Wedi rhyw hanner awr o gerdded, daethom at y llwybr cul oedd yn arwain i lawr y ceunant at fin y dŵr. Gyferbyn â'r rhaeadr ymgodai hen graig anferth fel llu arfog i warchae'r darlun tlws. Wedi cryn lafur, dringwyd i ben y graig, a safem ar y palmant cadarn yn wynebu'r dyfroedd gwyn llachar. Cwympent ar ddwywaith, gan wasgar lluwchion eu hewyn ar y coed a'r blodau a ymhyfrydai yn y gwlith perlog hwn. Nid oedd y lloer eto yn taflu ei goleuni yn llawn ar y rhaeadr. Er disgwyl am yr olygfa honno, gwnaethom goelcerth ar ben y graig, a thra oeddem ni'n prysur fwydo'r tân, daeth y lloer yn ddistaw, ddistaw, gan belydru megis drwy'r dyfroedd. Erbyn hyn yr oedd y goelcerth yn ei gogoniant, fel pe mewn ysbryd cystadlu â'r lloer, pa un belydrai yn fwyaf effeithiol ar yr ewyn gwyn. Ond cynorthwyo'i gilydd yr oeddynt i wneud un darlun gogoneddus, a'r amrywiaeth lliwiau yn dallu'r llygaid wrth edrych arnynt. Yr oedd yr olygfa o ben y rhaeadr yn sicr o fod yn drawiadol hefyd. Yr oedd canghennau'r coed yn taflu cysgodion cywrain yng ngolau'r fflamau, a ninnau yn ein coronau o flodau yn gwibio o gwmpas y fflamau. Hawdd iawn fuasai ein camgymryd am lu'r tylwyth teg wedi dod allan i ddawnsio ar noson lawn lloer. Nid oedd neb wedi edifarhau dod erbyn hyn, yr oedd rhyw swyngyfaredd wedi ein meddiannu. Ni ddywedai neb fawr ddim, dim ond yfed yn helaeth o ardderchogrwydd gwaith ei ddwylo Ef. Ond methodd y calonnau Cymreig â dal y distawrwydd yn hir a thorrodd yr edmygedd a'r mwyniant allan yn un anthem o fawl:

> Duw mawr y rhyfeddodau maith,
> Rhyfeddol yw pob rhan o'th waith.

Yr oedd y cwmni oll yn hoff o ganu, a chredaf na fu y fath ganu ar yr hen emyn erioed, bron nad oeddem yn gweld drws y nef, ac na chlywem yr Amen fel corws yr angylion gwyn. Dyblem a threblem y llinellau nes yr oedd y goedwig gylchynol fel pe wedi uno â'r mawl. Un o oriau euraidd bywyd oedd honno. Dringem y llwybr bychan mewn distawrwydd perffaith. Yr oedd yna gysegredigrwydd yn y fangre i bob un ohonom byth mwy.

Yr oeddwn i yn olaf yn cyrraedd o'r ceunant, ac yr oedd y cwmni wedi mynd ychydig ymlaen. Cofiwn y byddai rhaid imi ymhen ychydig ddyddiau deithio yn ôl dros y diffeithdir sych i wlad ddi-goed, ddiflodau. O, yr oedd fy hiraeth yn fawr iawn! Yr oedd fy mywyd yn ystod y mis diwethaf wedi bod mor llawn o ddedwyddwch pur, fel yr oedd rhyw ofn yn llanw fy nghalon wrth feddwl am y dyfodol. Fel yr hiraethwn am gael byw bywyd pur, dilychwin! Mor hawdd fuasai gwneud hynny yng nghanol cylchynion fel hyn. Rhedais i lawr y ceunant yn fy ôl. Sefais yn ymyl y cwymp, nes derbyn yn helaeth o fedydd y gwynias ddŵr. Yr oeddwn yn gwneud cyfamod yn fy medydd; llithraf a chwympaf aml waith ar ddyrys lwybrau bywyd, ond ni fyddaf byth yn unig mwy.

Cwmni dedwydd iawn oedd yn cyrraedd Troed yr Orsedd nos Nadolig, a minnau y dedwyddaf o bawb, ac un o freuddwydion fy mebyd wedi ei sylweddoli yn ei holl felyster. A chwithau, ddarllenwyr mwyn, gobeithio fod i bob un ohonoch ryw freuddwyd melys, ac y daw i chwithau sylweddoliad a mwyniant anrhaethol.

Noson yn y Goedwig

Yr oeddwn i gael un daith fythgofiadwy arall cyn canu'n iach â Bro Hydref, ond rwy'n digalonni wrth feddwl am geisio dweud yr hanes. Mynd i weld cewri'r goedwig oedd yn tyfu ar lethrau Gorsedd y Cwmwl: coed pinwydd, coed bedw, etc., anferthol o faint, fel pe'n ceisio efelychu'r cawr gwyn oedd fry yn y cymylau uwch eu pennau. Dywedai Dalar bethau anhygoel amdanynt, a minnau yn orlawn o gywreinrwydd, ac er ei bod yn amser prysur yn y Fro, a ninnau, y cwmni gwladfaol, yn prysur bacio, bu raid gadael popeth a chychwyn.

Nid oedd y ffordd yn bell, meddai'r arweinydd, dim ond i ni gychwyn ganol dydd, a mynd â byrbryd gyda ni i'w fwynhau yng nghysgod y cewri, a dod yn ôl fin yr hwyr wrth ein hamdden. Onid yw'r rhaglen yn darllen yn rhwydd a syml? Eithr na thwyller chwi, ddarllenwyr tirion; trwy orthrymderau fil y cawsom ni ail olwg ar fythynnod coed y Fro.

Cychwynnem yn gwmni llawen, a'n hwynebau tua'r goedwig a'r mynydd. Yn fuan daeth yn gryn gamp i ni weithio ein ffordd ymlaen rhwng aml ganghennau'r coed, a'r *creepers* afrifed fel gwe'r copyn yn taenu eu rhwydau blodeuog rhwng pob cangen werdd.

Fel llwybrau'r Indiaid ar y peithdir, felly mae llwybrau'r anifeiliaid yng nghoedwigoedd yr Andes; dyna eu llochesau pan mae'r eira yn gor-doi'r dolydd. Deuthum i deimlo yn fuan mai fy nghynllun gorau oedd gadael yr arweinyddiaeth yng ngofal yr hen geffyl ffyddlon, deallus, a threio gwylio'r canghennau rhag fy nghrogi. Gwaeddem ar ein gilydd er cael rhyw amcan i ba gyfeiriad yr oeddem yn mynd, canys gwlad y gwyll a'r cysgodion yw coedwigoedd yr Andes, gydag ambell i fflach o belydrau'r haul drwy'r ffurfafen ddeiliog.

Yr oedd yno ffrydiau mân, grisialog, yn dyfal gario bywyd

a nerth i ddirif lu'r Orsedd, ac yn murmur a dawnsio ar eu gwelyau mwswgl. Er nad oeddem yn gweld dim ond y coed, etc., teimlem mai graddol godi yr oeddem, a Dalar yn dal i arwain a ninnau yn dal i ddilyn mewn llawn hyder ffydd. Sylwem fod y coed yn dechrau praffu, a'r mân goed yn lleihau, fe pe byddai'r cewri am eu mygu o fodolaeth. Yr oedd arnaf eisiau sefyll i ddechrau mesur y coed, ond 'Mae gwell ymlaen' oedd y gri o hyd, a minnau yn synnu ac yn rhyfeddu, a neb yn dweud dim, pawb yn mynd yn ei ddau ddwbwl, ac yn gwylio pob cangen fel barcud, ac yn troi ac yn trosi fel seirff. Yn fy myw ni allwn beidio meddwl am fintai o ysbïwyr yn mynd drwy wlad y gelyn – ofn clywed yr un brigyn yn torri dan garnau'r meirch; ceisio treiddio i'r gwyll am lygad estron – os torrai cangen yn sydyn, gwingem fel pe rhag saeth elynol.

Yr oedd y coed mor anferth erbyn hyn nes y collem ein gilydd yn eu cysgod, ac fel y distaw nesâi'r nos, ymddyrchafent fel hen filwyr dan lawn arfau. Dal i ddringo yr oeddem, a gallasem ddringo am oriau meithion heb fod fawr nes i Orsedd y Cwmwl. Ond wedi dod at hen frenhines dalgryf estynnai ei breichiau cawraidd fel pe am lapio'r brenin gwyn acw yn ei chôl, cawsom ganiatâd i ddisgyn a gorffwys, a syllu ac edmygu wrth fodd ein calon.

Gresyn na ellid crynhoi holl eiddilod hunanol y byd, a'u halltudio i un o goedwigoedd yr Andes am flwyddyn. Fe syrthiai eu hunanoldeb fel mantell oddi amdanynt, a deuent eilwaith yn blant bychain gyda chalonnau gwylaidd, llawn o barchedig ofn. Nid oes modd dweud mewn geiriau am fawredd aruthrol y coed yma, ac o'r lle y safem, caem gip ar y pigynnau gwynion draw yn yr ucheldderau. Ac o, gwelwch, mae'r haul yn machlud! Ni allem ni weld yr haul wrth reswm, ond dacw'r bysedd dwyfol yn tynnu llun yr haul ar yr iâ oesol, a ninnau yn cael *edrych* arno! Gwyn fyd na chaffai pawb syllu ar olygfa debyg unwaith mewn oes: byddai fel ffrwd fywiol yn y galon, ac yn ystorfa ddihysbydd o felyster a nerth yn oriau tywyll, chwerw bywyd. I mi y mae'r darlun yn felysach heddiw nag y bu erioed, pan ymhell o dir fy ngwlad, a haul a hindda wedi ffoi, mae'r haul ar yr Orsedd o hyd.

Buom yn hir iawn cyn gallu sylweddoli dim ar ein cylchynion, methu tynnu'n llygaid oddi ar yr Orsedd, er ei bod hi erbyn hyn wedi mynd yn Orsedd y Cwmwl yn llythrennol. Ond yr oedd y darlun mewn du a gwyn lawn mor swynhudol, er nad mor ogoneddus. Ond bu raid i'r arweinydd ein deffro, gwyddai ef yn well na ni anawsterau'r dychwelyd drwy nos gaddugol y goedwig. Cawsom fwynhau ein byrbryd ar fin nant, un o genhadon yr Orsedd sisialai gyfrinion y llys gwyn fry; ond ysywaeth nid oeddem ni'n ddigon pur ein calon i'w deall, ond yr oedd yr ymdeimlad o annheilyngdod yn wers fawr i'w chofio. Tipyn o beth oedd cael torri newyn mewn cwmni mor urddasol, a moesymgrymai breninesau'r dalaith fawr hon mewn croeso pêr i'r teithwyr pell.

Erbyn hyn yr oedd y nos yn gor-doi'r wlad, ac nid oes gwyllnos yn Neheudir America, a bu raid i ninnau feddwl am droi pennau'r meirch tuag adref, neu anelu orau gallem tua'r cyfeiriad hwnnw. Ond buan y daethom i'r penderfyniad fod gennym orchwyl difrifol o'n blaenau; yr oedd dilyn y llwybrau cul liw dydd yn gryn gamp, ond yr oedd yn wrhydri liw nos. Ymlaen yr aem yn ddistaw bryderus, mewn perygl bywyd bob munud. Wedi teithio am oriau fel hyn, cau yn dynnach amdanom yr oedd y goedwig, a phob llwybr wedi ei hen golli. Meddwl am ben draw y drysni yr oeddem, ond a'n helpo! Gallasem deithio cannoedd o filltiroedd heb weld y ffurfafen. Yr oeddwn wedi bod ar fin cael codwm amryw weithiau, drwy fod fy ngheffyl yn gallu mynd o dan y canghennau a minnau yn methu eu gweld i ostwng danynt, ond o'r diwedd, yr hyn ofnais ddaeth i'm rhan, ac i lawr â mi ar wastad fy nghefn, a'm pen rhwng dau droed ôl y ceffyl. Buasai ambell geffyl wedi rhoi terfyn ar fy einioes mewn ychydig eiliadau, ond yr oeddem ni'n dau yn gyfeillion mawr, ac adwaenai fy llais o bell. Yr oeddem wedi cael aml sgwrs yn ystod ein teithiau, ac ni fyddwn byth yn disgyn oddi ar ei gefn heb ddiolch iddo yn dyner, mewn iaith ag y mae pob anifail mud yn ei deall yn drwyadl. Gwyddai ef wrth fy ngwaedd ddychrynedig fod rhywbeth allan o le, a safodd mewn amrantiad, gan edrych drach ei gefn mewn cydymdeimlad a chywreinrwydd. Pan godais o'm gwely mwswgl yr oedd ei lawenydd yn fawr, a rhwbiai ei ben yn fy ngwisg fel pe i wneud yn sicr fod fy esgyrn oll yn gyfain. Bu'r un anifail dewr yn gyfaill i mi drwy'r dilyw wedi hyn, ac achubodd fy mywyd amryw droeon.

Gwelodd pawb erbyn hyn fod yn rhaid disgyn, nad gwiw rhyfygu ychwaneg, ac arwain ein hanifeiliaid yn ofalus rhwng y coed. Addefai ein harweinydd na wyddai ef ar glawr daear pa le yr oeddem, ond y byddem yn sicr o ddod allan i'r gwastadedd ond i ni ddal i deithio i'r un cyfeiriad. Yr oeddem yn flinedig a newynog erbyn hyn, canys yr oedd ymhell ar y nos, a ninnau wedi bod yn teithio yn ddiorffwys er canol dydd. Dringem ambell lechwedd dyrys, mwsoglyd, gan arwain yr anifeiliaid blinedig, yna aem bendramwnwgl i lawr ceunant serth, a chyn y gallem sefyll yr oeddem yng nghanol ffrwd, yn canu'n iach yn ei gwely graean, ac yn synnu at ymwelwyr mor ddibarch o lendid ei dyfroedd. Mwynhâi yr hen geffylau y ddiod iachus, a buasem ninnau'n mwynhau'r ddiod yn burion ond nid oedd bath rhewllyd ganol nos mor dderbyniol.

Wedi teithio fel hyn drwy ddrysni a dŵr, dros bant a bryn, am oriau meithion, blinion, daethpwyd i'r penderfyniad unfrydol mai gwell oedd llechu man yr oeddem hyd doriad gwawr. Yr oedd y newydd bron cystal â phe wedi cyrraedd pen y daith. Datgeriodd pawb ei geffyl, gan ei glymu'n ddiogel man y caent flewyn melys i dorri eu newyn. Yna, crynhoi tanwydd a gwneud coelcerth, canys yr oeddem yn oer a gwlyb, heblaw yn flinedig. Tân ardderchog oedd hwnnw, canys nid oedd eisiau cynilo y defnyddiau; taflem foncyff ar ôl boncyff i ganol y fflamau nes goleuo a sirioli'r holl gylchynion, a phe buasai gennym grystyn i gnoi cil arno er torri newyn, buasai ein mwyniant yn berffaith. Teimlem braidd yn eiddigeddus wrth yr hen geffylau yn pori'r glaswellt iraidd wrth fodd eu calon, ac yn gweryru o wir fwyniant gan ddweud hanes y wledd y naill wrth y llall, tra ninnau yn gorwedd gylch y tân a'r naill ochr yn rhewi tra'r llall yn rhostio, ac yn meddwl mewn hiraeth am y caban coed adawsem y bore, a'r ford lawn danteithion. Ond fel y tymherai'r tân yr awyrgylch, ac y sychai ein dillad ac y dadflinai ein cymalau, graddol lithrodd swyn a dieithrwch yr olygfa i'n calonnau, gan wneud i ni anghofio pob anghysur.

Dyma ni mewn coedwig, gannoedd o filltiroedd o hyd, a chyn dyfodiad y Cymry i'r Fro ym 1886 nid oedd yr un dyn gwyn wedi ei gweld erioed, na nemawr neb o'r hen frodorion wedi treiddio i ganol ei drysni, canys drwgdybient wyll y coedwigoedd, gan gredu mai dyma gartref a chyrchfan holl ysbrydion drwg y byd, a hyd heddiw mae'r ofergoeledd yma'n gryf ym mhob calon frodorol. Ond i mi yr oedd fel cip ar ardd Eden yr henfyd: hoffaswn dreulio blynyddoedd i astudio pob pren deiliog, a gweld bys y Lluniwr yn nodi'r boncyff ar ddechrau pob blwyddyn newydd ac i geisio deall rhai o'r miloedd ymlusgiaid sy'n llechu mor ddiddos dan ddail a daear, pob un yn ôl ei reddf, a phob un yn gwneud ei waith yn ôl archiad dwyfol. Dyma le i ddysgu iaith yr adar; faint yw rhif y côr tybed, a phryd y cynhaliant eu cymanfa ganu? Mae'n sicr mai dyma'r deyrnas brysuraf yn ein byd. Mae'r deiliaid fel dirif dywod y môr, a phob un, o'r gwybedyn a'r pryf genwair distadlaf hyd at y condor a'r carw gwyllt ar y pigynnau gwynion, yn gampwaith y Lluniwr, ac yn anesboniadwy i wyddonwyr mwyaf y byd. Maent yn gallu esbonio popeth ond bywyd, ond ysgatfydd bywyd yw'r goedwig i gyd, ond bu raid imi deithio i'r Andes i sylweddoli aruthredd y gwirionedd hwn.

Yr oeddwn wedi arfer rhoi fy nghlust ar y ddaear i wrando am sŵn ceffyl yn dod o bell, ond ni thybiais ei bod yn bosibl clywed y gweithwyr diwyd sydd yng nghrombil yr hen ddaear, ond bûm yn gwrando ar gannoedd ohonynt wrth ddisgwyl am y wawr yng nghoedwig yr Andes – dyma gyfaredd! Mi gredaf yn y tylwyth teg tra byddaf byw bellach, yr oedd yma filoedd o'm cwmpas drwy'r nos, yn cyniwair ac yn gwau, ac yn tyrchu ac yn chwarae, ac yn siarad wrth fodd eu calonnau, a minnau yn synnu ac yn rhyfeddu, ac yn gwneud darganfyddiadau newydd bob munud. Ac fel pe na fuasai'r ddrama danddaearol yma yn ddigon i swynhudo dyn, dechreuodd un arall yn y mwswgl a'r dail sy'n gorchuddio'r wlad ryfedd ac ofnadwy hon. Ar y cyntaf brawychwyd fi'n ddifrifol, a meddyliais yn sicr fod holl ddeiliach a mwswgl y goedwig yn dechrau symud, a chodais ar fy eistedd gan rwbio'm llygaid er bod yn siŵr nad breuddwydio yr oeddwn, ond na, gwelwch! Mae yna lu afrifed ohonynt yn dod tua'r tân! Yr oedd ofn gwirioneddol arnaf erbyn hyn. Nid oedd yn ddigon golau i mi weld yn eglur, ac yr oedd fy nghyd-deithwyr yn cysgu'n braf. Ond o'r diwedd, daeth rhai o'r ymwelwyr dieithr yn ddigon agos i'r tân i mi eu gweld yn well – dyma ddeilen grin debygwn, ond rhyfedd y sôn, mae wedi magu coesau anferth, ac yn brasgamu'n ddeheuig i gyfeiriad y gwersyll gan gymryd stoc o'r olygfa ryfedd; yr oedd ganddi ddau lygad hefyd yn perlio ac yn gwibio rhwng gwyll a gwawr, a dyna lle y buom am rai eiliadau yn dyfal wylio'r naill y llall, ac mi gredaf y cofiwn ein gilydd yrhawg. Ond erbyn hyn yr oedd yna amryw ymwelwyr eraill, pob un wedi dod i weld y dieithriaid, darnau o risgl wedi magu pennau a choesau a llygaid, etc., llawer o fangoed, ambell ddarn o fwswgl tlws odiaeth, blodau wedi gwywo, ambell ddeilen werdd newydd gwympo, ac yn eu mysg gwelwn amryw hen gyfaill, megis y chwilen ddu, a'r chwilen werdd-symudliw, y pryf copyn, a'r genau-goeg, ac wrth weld y rhain y gwawriodd arnaf beth oedd y lleill. Yr oeddwn wedi darllen am bryfaid ac ymlusgiaid yn cymryd lliw a ffurf eu cylchynion fel diogelwch, ond ni sylweddolais am foment wir ystyr yr hyn ddarllenaswn, ond byth er y noson honno mae pob llyfr naturiaethwr (os bydd yn caru natur) fel tylwyth teg i blentyn, yn orlawn o ddiddordeb i mi. Gweld gyntaf, a darllen wedyn yw'r ysgol orau debygaf fi. Onid oes gormod o ddarllen llyfrau a rhy fach o ddarllen natur? Buasai'n well gennyf golli pob llyfr ar fy elw na cholli'r atgof am fy noson yng nghoedwig yr Andes.

Ond er mor gywrain a diddorol yr olygfa yr oedd blinder a newyn yn dechrau cael y llaw drechaf arnaf, a gorweddwn eilwaith er ceisio anghofio fy ngofidiau mewn cwsg, ond er cau fy llygaid yn dynn, a phenderfynu peidio â'u hagor, chwarddai'r lloer a'r sêr am fy mhen, gan wybod mai hwy oedd y meistri hyd doriad gwawr; amhosibl fuasai cau amrant a'r fath ddarlun i syllu arno. Nid gweld y ffurfafen yn un rhan fawr serennog yr oeddwn, ond cannoedd o fân bictiwrau mor berffaith a phur ag y gallasai llaw'r Arlunydd mawr eu gwneud, a phob un wedi ei fframio â mân-ddail ariannaidd. Ond wrth syllu fel hyn rhwng cwsg ac effro ar oriel gelf y nef, yn ddistaw-gyfrin, bron yn ddiarwybod, diflannodd y naill ddarlun ar ôl y llall, a disgynnodd y tywyllwch a'r distawrwydd llethol hwnnw sy'n dod tros ein byd cyn torri o'r wawr yn y dwyrain pell, pan mae natur i gyd fel pe'n gorffwys a huno ennyd. Ond o, mor ogoneddus y deffro, onide? Ni allaf beidio meddwl mai fel hyn y dylem ninnau ddeffro bob bore pe wedi byw yn deilwng.

Nid wyf yn mynd i geisio dweud wrth neb sut y torrodd y wawr drwy'r ddeiliog we wrth fy mhen, ac y trowyd y goedwig yn un enfys fendigedig, nes yr oedd pob llygad yn dallu, a phob pen yn gostwng mewn addoliad mud, a phob calon yn teimlo mai da oedd cael bod yno, ac yn gwneud cyfamod newydd yng nghysegredigrwydd y foment. Ond nid oedd y cyfeillion asgellog yn plygu pen, plant y wawr ydynt hwy ac ni wasanaethasant ond un brenin erioed yn ddidwyll a glân o'u mebyd. Rhoeswn y byd pe yn ddigon pur fy nghalon i ddeall yr holl gyfrinion sisialent y naill wrth y llall wrth gyfarch ei gilydd ar ddechrau diwrnod newydd.

Welsoch chwi'r adar yn 'molchi erioed? Dyna'r wers rymusaf mewn glendid a deimlais erioed, ac mor ddedwydd y maent yn ymbincio ac yn ymdrwsio, gan foesymgrymu'n goegaidd a gwneud pob ystum dichonadwy. Ac wedi iddynt wneud yn siŵr nad oes llychyn ar flaen adain a bod pob pluen yn ei lle yn bert a syber, cymer pob un ei le yn y côr, a phrin y caiff yr arweinydd amser i gyrraedd y llwyfan gwyn acw, ac eistedd ar yr orsedd o dân ysol, na fydd y gân yn dechrau, ac yn esgyn yn un anthem orfoleddus, yn aberth hedd a llawenydd; ac yna mewn amrantiad â pawb at ei orchwyl. Ymlanhau, diolch a gweithio – dyna raglen yr adar. Gresyn meddwl mor wahanol yr eiddom ni yn aml, onide? Ymlygru mewn drygioni, grwgnach yn anfoddog, a diogi ac ymblesera y byddwn ni yn fynych.

Ym Mecsico, hyd yn ddiweddar iawn, ffynnai hen arferiad tlws a defosiynol a ddaethai gyda'r Sbaenwyr yn amser y goncwest, o gyfarch yr haul ar ei ddyfodiad bob bore ag anthem o fawl a diolch. Cenid cloch ychydig funudau cyn ymddangosiad yr haul, ac agorai pawb ei ffenestr a arweiniai i'r *veranda* gylchyna bob tŷ Sbaenig, a safai'r holl deulu, o'r hynaf i'r ieuengaf, y meistr fel y caethwas, i gyfarch brenin y dydd. Mor debyg i'r adar, onide? Sicr yw y byddai miloedd o'r ednod cerddgar yn uno yn y foreol gân yng nghanol perllannau a gerddi dihafal Mecsico gyfoethog.

Aflonyddodd adar yr Andes ar y cysgadwyr o'm cwmpas a rhwbient lygaid o un i un, gan wincio'n gysglyd ym mhelydrau'r haul oedd eisoes yn dechrau treiddio drwy'r deilios. Yr oedd y tân yn farwor llonydd erbyn hyn, a min awel y bore yn dechrau gwneud i ni sgrwtian, a da oedd cael symud i ystwytho'r cymalau a chyflymu'r gwaed. Yn reddfol cyrchai pawb at ei geffyl gan ddechrau breuddwydio am ben y daith a thamaid i dorri newyn. Ond – dyma fonllef orfoleddus oddi wrth un o'r pererinion a phawb yn mynd ar ras wyllt i glywed y newydd, a dyna lle'r oedd un o'r cwmni ar ei bedwar yng nghanol gwely o fefus aeddfed! A ninnau wedi bod yn newynu drwy'r nos! Doedd rhyfedd fod yr hen geffylau yn gweryru, ond chwarae teg iddynt, gwnaethant eu gorau i'n hysbysu o'r newyddion da. Ni allaf byth feddwl am y borefwyd hwnnw heb gael ffit o chwerthin iachus, rwy'n siŵr y rhoesai *Punch* lawer am ddarlun o'r olygfa – pawb yn gorwedd ar ei hyd gyhyd, bron o'r golwg yn y dail, ac wrthi â holl egin ei fysedd yn tynnu mefus, ac yn eu bwyta lawn mor egnïol, a phawb cyn ddistawed â llygod mewn cae gwenith. Brecwast ardderchog oedd hwnnw, mae'n siŵr gen i mai rhywbeth tebyg fyddai Efa yn ei gael yng Ngardd Eden ers lawer dydd.

Dalar oedd y cyntaf i weiddi digon, a chychwyn am ei geffyl a bu raid i ninnau ddilyn heb ond prin dorri awch ein newyn. Ond yr oedd yr amgylchiad difyrrus, hapus, wedi codi ein hysbrydoedd i'r uchelfannau, a geriem ein ceffylau dan ganu a dyfalu lle'r oeddem, a

> Wele ni bawb ar gefn ei geffyl,
> A dyma ni'n mynd dow-dow, dow-dow,
> Ar garlam a thuth a phranc, hwre!
> Heb ofal nac ofn am rent na threth!
> Ond meddwl am dŷ a thân, a the.

Buom yn hir yn cael cip ar gyrrau'r wlad, ac erbyn i ni ddod allan o'r drysni, cawsom ein bod filltiroedd lawer yn is i lawr na'r cychwynfan, a bod gennym daith hirfaith cyn cyrraedd adref. Ond wedi i'r meirch gael eu carnau ar y gwastatir, a dod i ardaloedd cynefin, yr oeddynt yn mynd fel ewigod, a ninnau yn mwynhau'n *ride* i berffeithrwydd. Awel y bore fel dyfroedd bywiol yn disgyn oddi ar y copâu gwynion, a phêr awel y pinwydd a'r myrdd blodau mân yn llanw'r awyrgylch â'u perarogl. O, yr oedd yr hen ddaear yn dlos y bore hwnnw, a bywyd yn felys iawn! Gwyn fyd na chaffai pawb oriau euraidd fel hyn unwaith mewn oes, byddai stormydd bywyd yn haws eu goddef wedyn, ac ni chaffai'r temtiwr loches mewn calon a deimlodd agosed ddrws paradwys.

Fel y nesaem at y Fro, deuai aml i fwthyn coed i'r golwg, yn nythu mor dangnefeddus yng nghysgod y gwylwyr gwynion, a mwg eu simneiau yn dyrchu tua'r nen yn aberth peraidd o'u tân coed glanwaith: brefiadau'r praidd ar y llethrau porfaog, y gwartheg yn cyrchu yn yrroedd mawrion tua'r corlannau erbyn amser godro, a'r cŵn yn dyfal gyfarth er ceisio didoli'r hesb oddi wrth y llaethes, a'r llanciau ar eu ceffylau bywiog yn gwibio yma a thraw, pawb ynghylch ei orchwyl; a ninnau – adar y nos – yn anelu am ddiddosrwydd, ond yn teimlo braidd yn swil, fel plant drwg wedi bod ar eu sbri. Ond cawsai perthnasau a chyfeillion noson mor bryderus yn ein cylch fel yr oedd y croeso yn gynnes a siriol, pawb yn falch o'n gweld, ac yn holi a dyfalu am y cyntaf.

Hyd nes i ni gael ein hunain rhwng muriau'r bwthyn clyd, nid oeddem yn ymwybodol mor flinedig oeddem. Yr oedd yr awelon iachus, a symudiadau chwim y ceffylau wedi ein cadw yn effro, ond gynted y daethpwyd i awyrgylch gynnes yr aelwyd, a chael y te y canem amdano, cysgu a gorffwys oedd ein dyhead mwyaf, a chwsg i'w gofio oedd hwnnw. Dywedir i ni gysgu gylch y cloc yn grwn, tra'r plantos bach yn chwarae a chanu, ymwelwyr yn mynd a dod, ceffylau a gwartheg yn trystfawr gyniwair gylch y tŷ, a'r haul yn machlud a'r lleuad yn codi, a ninnau'n cysgu'n ogoneddus, a thelynau'r tylwyth teg yn suoganu. Ond wedi i ni ddeffro, yr oeddem fel adar yn trydar ac yn barod i adrodd ein holl anturiaethau. Eithr ni fynegir byth mo'r filfed ran o gyfrinion y goedwig ddistaw, lân. Nid pethau i'w mynegi ydynt, ond pethau i'w teimlo i eigion calon, ac i'w trysori yn nyfnderoedd enaid.

Rhyw ddydd, mae'n debyg, clywir sŵn bwyeill yn y coedwigoedd tawel, a chroch nadau'r agerbeiriant yn atsain drwy'r cymoedd llonydd, gan ddygyfor ei fwg du ar y dyfroedd grisialog, a throi'r perlog wlith sy'n nythu ar fron pob blodyn gwiw yn ddefnynnau marwol i ysu a difa'r tlysni. Diolch, ynte, am gael troedio'r ardd cyn cyrraedd o'r sarff.

Tuag Adref

Wedi dadflino a sobri o helyntion y daith ddiweddaraf, bu raid dechrau pacio o ddifrif, canys yr oeddem yn gorfod troi'n ôl ymhen ychydig ddyddiau, er ein mawr ofid.

Y syniad cyffredin am bacio yw, llawer iawn o focsys yn llawn o ddillad o bob lliw a llun, y rhan fwyaf yn hollol ddifudd ac anaddas, a chymaint o helynt wrth eu trefnu a'u haildrefnu a phe byddai bywyd dyn yn dibynnu ar ei ddillad. Mae aml i hen Wladfäwr wedi cael oriau o ddifyrrwch diniwed wrth wylio newydd-ddyfodwr, neu *gringo* ys dywed y Sbaenwr, yn cychwyn ar ei daith gyntaf i'r Andes. Mor gryno a thwt yw pob peth, a phob bocs fel pe newydd ddod o'r masnachdy, yn edrych yn boenus o loyw, ac yntau'r teithiwr, mor ddestlus a glân ei drwsiad, a'r cyfrwy Prydeinig newydd sbon, prif destun sbort a dirmyg llanciau y paith, a golwg mor anhywaith arno nes gwneud i bob asgwrn a chymal frifo wrth edrych arno heb sôn am ei farchogaeth am ryw bedwar can milltir. Doniol yw gweld ambell hen geffyl brodorol, callach na'r cyffredin, yn troi ei ben i edrych yn syn ar y weledigaeth ryfedd. Anodd peidio credu, gan mor ddeallus yr edrych, nad yw'n ffurfio barn ddistaw am allu teithiol y perchennog. Nid oes ond profiad chwerw a ddarbwylla'r *gringo* o'i ffolineb a'i ystyfnigrwydd. Bydd yn ddigon gwylaidd cyn cyrraedd pen y daith, ac ychydig bach yn debycach i'w gylchynion, er na ddaw efe byth yn rhan o'r darlun fel yr hen frodorion. Mae'r brodor a'i geffyl, a'i gêr a'i ddillad yn un, mewn perffaith gytgord, ac yn un o'r golygfeydd mwyaf hudolus a swynol ar yr holl wastadeddau. Onid ydych wedi sylwi gymaint mwy diddorol yw gwisg y *Colonials* Prydeinig? Maent wedi addasu eu gwisgoedd i'w cylchynion ac felly yn edrych yn berffaith naturiol a dilyffethair. Dilyn natur yn lle celf, dilyn y gwladfawyr ieuainc yn lle Paris, a fyddai eithaf adnod yng nghredo Prydain heddiw.

Ond i ba le yr aethom, wys! Nid *gringos* oeddem ni, ond hen deithwyr profiadol, wedi bod drwy bob helynt allasai'r paith mawr ei ddarparu ar ein cyfer, ac yr oeddem yn pacio ein wagen yn yr atgof am y pethau hyn, ac yn ceisio rhag-ddarparu ar gyfer pob anhap. Tra'r dynion oedd yn trwsio a chryfhau'r gêr, a gofalu am ddigon o olew ar gymalau'r wagen, gan gofio am y gwres a'r llwch oedd o'n blaenau, cedwid ni'r merched fel gwenyn, nid yn casglu mêl ychwaith, ond mefus, a'u berwi mewn crochanau anferth, a dihysbyddu'r tai o bob tun gwag drwy'r holl fro, i gario'r melysion gwerthfawr i wlad nad oedd yn llifeirio o laeth a mefus.

Dyddiau hapus oedd y rheini, tymor dedwydd plentyndod wedi dod yn ôl am ennyd, allan gyda'r wawr-ddydd, pawb â'i fasged ar ei fraich yn canu a dawnsio o wir lawenydd calon. Ond weithiau deuai cysgod ymadael ar heulwen fy nedwyddwch, a chiliwn at lan y Llwchwr i geisio lleddfu fy hiraeth, a gwrando yn astud a dwys ar neges a chenadwri'r mynyddoedd mawr a syllai arnaf o'r uchelderau pell. Un o blant y gwastadeddau oeddwn i, ond yn hanu o Eryri, a dyna mae'n debyg sydd i gyfrif mai ar y mynyddoedd y mae fy nghalon bob amser. Mewn tristwch mud yr edrychwn ar y gadwyn wen a gylchynai'r dyffryn tawel, a'm henaid yn dyheu am gael llechu yng nghysgod ei glendid, ymhell o sŵn y byd a'i stormydd. Yr oedd y tawelwch a'r unigedd a natur yn ei harddwch cyntefig wedi suddo i eigion fy modolaeth, ac wedi deffro pob peth oedd orau ynof. Daeth llawer delfryd a meddylddrych tlws yn eiddo imi tra'n byw fel glöyn ar felys fwyd natur. Ac yn ofnus a chrynedig y wynebwn y gwastadeddau a'r bywyd gwladfaol helbulus, a'r mân ofidiau beunyddiol; ofnwn golli'r delweddau newydd, a syrthio'n ôl i'r hen rigolau. Hoffaswn gael mwy o amser i fagu nerth meddyliol, wrth draed fy Ngamaliel, a naddu sylfaen o graig yr

Andes. Weithiau meddyliwn fy mod yn cael fy ngolwg olaf ar gewri y byd newydd, a dyblai hynny fy mhruddglwyf, ond yng nghilfachau cysegredicaf fy nghalon, blagura gobaith am ail olwg, ac er i mi deithio deng mil o filltiroedd oddi wrthynt, mae'r gobaith yn dal i dyfu yn gryf ac iach. Ond ysywaeth, y mae'r pyst a'r gwifrau yn dringo'r llethrau erbyn heddiw, a thrydan yn cydio'r hen a'r newydd wrth ei gilydd. Ond cymer ganrif dda i wareiddiad ddifwyno'r Andes, felly ni raid brysio.

Ofnaf na chynorthwyais lawer i gasglu mefus na phacio'r wagen, ac fel y nesâi diwrnod y cychwyn collid Eluned o'r cwmni yn aml, ond diau mai buddiol imi oedd y prysurdeb a'r darpar, canys yr oedd fy hiraeth yn llethol, a neb yn deall, na neb yn cydymdeimlo ond yr hen fynyddoedd.

Fe ddaeth y noson olaf, a natur wedi bod yn gwgu drwy'r dydd, cymylau duon brochus yn ymwibio draws y ffurfafen las, ac yn tywyllu pelydrau llachar yr haul. Ond er cymylu o'r haul, yr oedd y gwres yn llethol, a hawdd oedd teimlo'r storm yn dod o bell. Gwyddai'r adar hefyd fod y ddrycin ar eu gwarthaf: distawodd eu cân, safodd eu gwaith, ac ni welid hwy yn picio o frigyn i frigyn gan drydar ar ei gilydd a dyfal gasglu ymborth i'r rhai bychain a ddisgwyliai wrthynt. Na, safent yn swrth a'u pennau yn eu plu ar y canghennau mwyaf cysgodol, fel pe'n ymbaratoi i wneud y gorau o'r gwaethaf. Gellid gweld y ceffylau yn carlamu'n orwyllt tua'r coedwigoedd, tra'r taranau yn clecian o graig i graig. Dolefai'r praidd yn ofnus gan dyrru at ei gilydd fel pe'n teimlo fod diogelwch mewn rhif. Anelu am y corlannau a wnâi'r da yn lluoedd trystfawr, canys yr oedd yn fachlud haul ac yn amser godro. Udai'r cŵn yn aflafar, ac ni cheid taw arnynt nes eu gollwng i'r tŷ. Eithr yr hyn dynnai fy sylw fwyaf, oedd cwhwfan yr ysguthanod a lechai yn y llwyn bedw gylch y tŷ; yr oedd eu cŵ-cŵ fel rhyw gyfeiliant lleddf-dyner wedi pob taran, ac fel pe'n ceisio cysuro'r naill y llall. Ond dal i dduo yr oedd yr wybren, a'r mellt fforchog, fflamgoch yn gwibio ac yn gwau fel seirff tanllyd, a'r taranau yn rhuo fel magnelau, gan siglo'r creigiau cylchynol. Ond yn y bwthyn coed yr oedd cân a thelyn, ac aelwyd lawen: plantos bach yn canu, a'u lleisiau fel y wawrddydd, hen ac ieuanc â'u pennill yn eu tro, a thinc y tannau tynion yn llanw'r bwlch yn hapus pan fyddai'r awen yn gorffwys ar ei rhwyfau.

Eithr a ni'n ceisio boddi'r storm a'r hiraeth mewn noson lawen, daeth taran fuasai'n casglu nerth ar yr uchelderau, debygaf, i daro ar y bwthyn bychan nes yr oedd yn siglo fel corsen ysig, a thannau'r delyn yn torri o un i un dan fysedd celfydd y telynor, a bu dychryn a braw yn y cwmni diddan. Ond unwaith y cawsom ni fynd allan i'r storm, a bod yn dystion o'i mawredd a'i gogoniant, trodd yr ofn yn edmygedd, a'r dychryn yn fwyniant bythgofiadwy. Yr oedd yn gaddugol dywyll, ond pan fflachiai ambell fellten eirias drwy'r tywyllwch dudew, gan roi i ni gipolwg ar fyd newydd sbon, nid yr un oedd y Fro dan wenau haul â than wg yr elfennau, a rhyw deimlad rhyfedd oedd bod mewn nos a dydd bob yn ail eiliad o hyd, canys gwibiai'r mellt gyda chyflymdra dychrynllyd, gan roi rhyw gylchdro o amgylch y cwm. Weithiai dringai lethrau'r Mynydd Llwyd o lam i lam, fel hydd yn ffoi rhag yr heliwr, ac wedi cyrraedd y copa gwyn, gwasgarai'n fil o wreichion gan droi'r iâ oesol yn dân ysol. Cymerai un arall ei thaith drwy'r coed, gan ddawnsio ar y brigau uchaf neu gyniwair drwy'r drysni a throi'r glesni a'r blodau fel gwawl y nef. Daeth un i ymyl y cartref lle safai hen fedwen dalgref a welsai lawer storm cyn hyn. Plethodd ei breichiau tanllyd o amgylch ogylch y pren gan ei gofleidio i farwolaeth. Mewn fflach y bu'r mall, ac mewn amrantiad y collodd ei nerth a thegwch. Syrthiodd yn ôl ar fynwes yr hen fam a'i meithrinodd mor dyner.

Tra'r mellt ar eu hymgyrch fel hyn, ni phallai utgorn cad y taranau, ac ni fu utgyrn yn atsain yn ogoneddusach erioed. Atebent ei gilydd o gopa pob mynydd ac o grombil pob ceunant, nes diasbedain drwy'r wlad am filltiroedd. A ninnau'r cwmni mud yn cael edrych ar filwyr y nef yn gwneud eu gwaith. Gymaint o amser, a dyfais, a chyfoeth sy'n mynd i ddysgu rhyfela, onide? A brenhinoedd a theyrnasoedd yn cyfrif eu milwyr wrth y miloedd, a dim ond i Frenin y brenhinoedd anfon un o'i filwyr i'r gad, gall chwalu byddinoedd y byd megis tywod o flaen corwynt.

Ond tra ni'n edrych ar y storm ac yn ei theimlo i eigion ein calonnau, graddol beidiai'r mellt, a chlywid rhu y daran yn dod o bell, fel pe'n chwyrnu'n anfoddog mewn llynclyn ar lethr Gorsedd y Cwmwl. Teyrnasai tywyllwch, bron na ellid ei deimlo gan mor nerthol ydoedd, a'r distawrwydd ofnadwy wedi'r fath gynnwrf yn gwneud i'r galon guro'n boenus, dan bwys teimladau dilafar. Ond wele'r ffurfafen ddu yn agor ei hystordai yn llu, gan dywallt ei mil ddefnynnau mân i ddisychedu'r hen ddaear grasboeth, ac i ireiddio gwellt y meysydd. Du yw pob storm i'r llygad di-ffydd, ond rhyfedd fel y blodeua ambell gymeriad dan groesau a gorthrymderau bywyd, onide? Mae'n gweld *drwy'r* düwch i gyd, ac wrth ddal i syllu fry yn derbyn yn helaeth o'r defnynnau bywiol sy'n disgyn o ganol y storm. Bron nad oeddem yn gweld natur yn agor ei breichiau led y pen pan ddechreuodd y glaw maethlon ddisgyn ar ei mynwes. Teimlem yn llawen a diolchgar fod y fendith wedi dod wedi cymaint paratoi a disgwyl, canys yr oedd pob deilen a glaswelltyn yn eiriol yn daer ers wythnosau am ymgeledd.

Faint ohonom sydd wedi sylwi tybed mor anrhaethol swynol y mae natur yn diolch am ei bendithion? Tra cenhadon yr awyr yn cyhoeddi'r newyddion da mewn dull dipyn yn rhwysgfawr a thrystfawr i galonnau bychain y llawr, llechai pob cyfaill asgellog yn fud a syn, ffoai'r gwenyn gwyllt oedd gynnau'n suo ganu wrth ddiwyd sugno'r mêl i'w llochesau celfydd yng nghalon hen foncyff draw, swatiai'r blodau yng nghesail ei gilydd, a gwnâi'r deilios gwyrdd eu gorau i'w noddi a'u calonogi; mae ffynhonnau eu perarogl wedi eu cau yn dynn, rhag gwastraffu adnoddau mor werthfawr mewn cylchoedd mor anghydnaws. Ond pan ddychwel y cenhadon i'w cartref fry, ac y teyrnasa tangnefedd a distawrwydd, ac y disgyn y tyner law fel olew ar ddyfroedd aflonydd, mor dlws a phêr y croeso mae pob deilen yn ymloywi, a phob deryn drwy'r wig yn prysur ymbincio ac yn lledu ei esgyll mewn gwynfyd wedi'r hir gaethiwed, ac yn torri allan i ganu fel yr eos yn y nos. Ni all y coed a'r blodau ganu, ond llanwant yr holl wlad â'u perarogl, dyna eu dull hwy o ddiolch i'r Crëwr tirion am ei ryfedd ddaioni: a pha falm mewn byd pereiddiach nag arogl y blodyn gwiw? Mae natur yn ei holl gysylltiadau yn rhoi ei gorau a'i phuraf ar allor ei diolch. Gwyn fyd na chaem ni lygaid i'w gweld, a'i deall, a'i hefelychu yn well, onide?

Aeth rhyw ochenaid o ddiolch drwy'r cwmni distaw pan ddechreuodd y glaw dywallt, a theimlem fel pe wedi dadebru o ganol rhyw freuddwyd cymysglyd. Yr oedd sirioldeb yr aelwyd yn dderbyniol iawn wedi'r fath gynyrfiadau. Y mwyaf didaro yng nghanol yr elfennau oedd yr hen gi hela orweddai ar ei hyd gyhyd o flaen y tân, yn chwyrnu'n braf, wedi cael y gwres a'r noddfa glyd i gyd iddo ei hun am ysbaid awr, ac yr oedd arno flys dangos ei ddannedd pan dresbaswyd ar ei etifeddiaeth, ond hawdd fu ei ddenu â chunnog o laeth.

Er ei bod yn hwyr o'r nos, a phawb yn flinedig, nid oedd gorffwys i fod heb dalu diolch a gofyn nodded. Yr oedd naws a pherarogledd y blodau ar y ddyletswydd deuluaidd y noson honno: yr oeddem wedi bod ar drothwy'r anweledig, a miwsig y Llys wedi ein gwefreiddio a'n hysbrydoli.

Mae gan bob un ohonom ryw nod mewn oes, a rhyw gysegrfan i fynd iddo mewn atgof pan geir egwyl yng nghanol corwynt bywyd. Ni allai neb ohonom ddweud dim am y ddyletswydd y noson honno, dim ond teimlo, a chofio, a thrysori.

Agorem y ffenestri a'r drysau led y pen i oeri ac ireiddio wedi cymaint gwres, a buan y daeth cwsg i daenu ei fantell yn dirion dros y rhan fwyaf ohonom. Doedd rhyfedd fod gwrid y rhos ar ruddiau'r plant, tra'n cael anadlu awyr iachus y mynydd drwy'r nos, canys nid oedd eisiau clo na chlicied ar ddrysau a ffenestri bythynnod yr Andes. Câi'r sêr ddod i hofran a gwylio wrth ben pob cwrlid, ac â'r lloer ar daith ymchwiliadol drwy'r ystafelloedd er cael gorffwys ar wyneb ei hanwylyn, a chwery'r awel falmaidd drwy bob congl, gan buro a phereiddio erbyn toriad gwawr y dydd newydd. Clywir y da yn cnoi cil yn hapus ar felysion y dydd. Mae'r gwenith aeddfed sydd o flaen y tŷ yn codi ei ben yn dalog wrth deimlo'r lleithder bywiol yn ymgeleddu ei wreiddiau, ac mae'r gwynt yn chwarae ar y tannau euraidd nes llanw'r awyrgylch â'i hwiangerdd.

Ond dacw'r dylluan wedi dod allan i chwilio am swper, ac mae ei gwdi-hŵ, gwdi-hŵ, yn merwino'r glust, ac yn achos i aml un gael hunllef. Ond rwyf fi yn dipyn o ffrind i'r gwdi-hŵ hefyd, mae golwg hynod o freuddwydiol arni, a phe buasai'n gallu barddoni rwy'n siŵr y gwnaethai bryddest benigamp ar ryfeddodau'r nos.

Rhyw noson rhwng cwsg ac effro fu'r noson olaf yn yr Andes. Anodd oedd ymdawelu wedi'r fath olygfeydd ac y mae yna ddistawrwydd rhy lethol i gysgu ynddo, a rhyw dawelwch felly ddaethai dros y Fro wedi peidio o'r glaw, natur i gyd yn gorffwys gan ddisgwyl am y wawr. Minnau hefyd a orffwysais, ond nid heb gofio mai dyma fy noson olaf yng ngwlad y mynyddoedd, ac nid heb ddiolch am y gwynfyd a gefais.

PENNOD XIV

Adios

Nid wyf yn credu pe cawswn fyw i oed Methuselah y gwelwn fore mwy gogoneddus na'r bore olaf hwnnw yng nghanol yr Andes. Rhyw ffarwél dywysogaidd a roddodd yr hen fynyddoedd i ni. Nid oedd y mellt wedi llychwino plufyn o'r eira gwyn, na'r taranau wedi dymchwel yr un teyrn oddi ar ei orsedd. Canu a dawnsio a chwerthin wnâi natur drwy'r bore, a'r haul yn gwenu'n foddhaus wrth weld y plant mor ddedwydd. Credaf fod nwyfiant yr awyrgylch wedi mynd i draed yr hen geffylau hefyd a doedd dim dichon dal yr un ohonynt, er carlamu a dwrdio a chwysu. Welsoch chwi geffyl castiog yn gwneud sbort o'i feistr erioed? Byddai'n anodd gennych ei alw yn greadur direswm ar ôl edrych arno am ryw bum munud yn mynd drwy ei ystumiau a'i branciau, ac yn drysu pob cynllwyn o'ch eiddo gyda medr diwinydd. Mae'n mwynhau ei hun yn ardderchog hefyd, ac yn ymhyfrydu yn ei nerth, a phan fydd wedi cael digon ar y sbri, fe saif yn dawel hamddenol, gan edrych mor ddiniwed ag oen llywaeth. Creulondeb, annheilwng o ddynoliaeth, yw cosbi ceffyl am gael orig o hwyl pan fo'n teimlo ar ei galon. Mae fel rhwystro plentyn iach rhag chwarae pan fo'r haul yn tywynnu.

Yr oedd yn ddrwg gan fy nghalon weld y ceffylau yn cael eu dal a'u rhoi yn y tresi; mor wahanol y byddai eu byd ymhen ychydig ddyddiau – mor flinedig y coesau chwim a brancient mor wisgi gynnau.

Yr oedd prysurdeb anarferol gylch Troed yr Orsedd y bore arbennig yma. Cyrchai cyfeillion o bell ac agos i ffarwelio, a dymuno Duw'n rhwydd. Yr oedd amryw o'r cyfoedion ieuainc yn paratoi i ddod i'n hebrwng daith diwrnod dros y mynydd, a threulio noson gylch tân y gwersyll i gydfreuddwydio am ddyfodol y Wladfa fechan yng nghilfachau'r Andes. Mor dalgryf a lluniaidd yw plant y mynyddoedd yma, mae ystwythder yr helygen ym mhob cymal, a grym y mynydd yn yr ysgwyddau llydain, cydnerth; gwrid yr haul sydd ar eu gruddiau, a glas y nen yn eu llygaid, a chalonnau cynnes, tyner, a deimlir mewn cydiad llaw; mae'r dwylo'n arw hwyrach, ac ôl y gaib a'r laso ar lawer ohonynt, ond dwylo Cymreig glân ydynt er hynny, yn dra diesgeulus a difrycheulyd oddi wrth y byd. Gwyn fyd y dyn gaiff fod yn arweinydd iddynt drwy borfeydd gwelltog gwybodaeth. Rhyfedd na fuasai maes mor doreithiog wedi denu rhyw ddyngarwr cyn hyn. Mae llawer o sôn am genedlgarwyr a gwladgarwyr, ac mae angen mawr amdanynt, ond byddaf yn rhyw ddistaw gredu mai dyngarwyr yw angen mwyaf ein byd.

Gardd fechan yw'r Fro Hydref, wedi ei phlannu yn eithafoedd Deheudir America, ac ynddi gannoedd o blanhigion ieuainc yn distaw dyfu. Mae eisiau gwrteithio a dyfrhau, a thyfu cysgod rhag stormydd gaeaf a gwres yr haf. Mae eisiau gwylio'r chwyn a'u difa yn eu blagur. Mae eisiau tocio'r brigau sy'n bygwth difa nerth ambell bren. Mae yno chwilod a heintiau yn cynllwyn am fywyd pob planhigyn, ac mae yno ladron ac ysbeilwyr yn cyniwair gylch yr ardd, ac yn sathru ambell flodyn tlws, nad oedd ond dechrau agor ei lygad yn wylaidd a syn ar ryfeddodau'r byd. Mawr y gwaith sydd yn yr ardd, onide? A pha le mae'r garddwr a'i gynorthwywyr? Ac etyb yr eco, pa le?

Y fath gyfle ardderchog sydd yma i arddwr medrus i dyfu coed derw, a britho pob cwm drwy'r Andes â chedyrn gewri'r ddaear. Fe dyfent yn ogoneddus mewn daear mor doreithiog, a phan ddelai ambell storm i brofi eu nerth, ni wnâi ond cwympo'r mes aeddfed, i'w gwasgar a'u gwreiddio o'r newydd.

Dyna ddylai plant yr Andes fod, ond iddynt gael meithriniad priodol. Pa le mae'r dyngarwr yntau, a'r cenedlgarwr hefyd, canys nid oes gwell Cymry na thlysach

Cymraeg yn y byd nag a geir yng nghymoedd yr Andes, a byddai'n werth i blant Cymru fynd yno i astudio'r iaith.

Melys oedd cael cwmni llanciau a gwyryfon mor hawddgar i'n cychwyn ar ein taith tuag adref, yr oedd yn lliniaru tipyn ar ein hiraeth, ac yn taflu pelydryn o sirioldeb ar brudd-der y ffarwél. Canys ffarwelio fu raid, er pob esgus i aros eto ennyd, yr oedd gennym daith hir o'n blaenau, ac wedi gwneud amryw gynllun sut i rannu'r dydd, fel y gallem wibio heibio ambell fwthyn unig, a hefyd dreio ein llaw ar olchi aur yn nant Rhyfon! Does neb a ŵyr faint o gestyll a adeiladwyd ar gorn yr aur hwnnw – ieuainc oeddem i gyd, cofier, a'r byd yn wyn a'r aur yn felyn – ac os oedd ein cestyll yn gain, a'n milwyr yn ddynol a dewr, nid ofer i gyd y breuddwydio, er casglu graean yn lle aur.

Gorymdeithiem drwy'r Fro, gan 'chwifio'r cadach gwyn', a sychu deigryn am yn ail. Dringem y llethr yn ddigon distaw, ac wedi cyrraedd pen y bryn, man y caffem olaf olwg ar Fro Hydref, gwelem gyfeillion ym mhob cyfeiriad, ar bennau'r tai, yn dal i chwifio baner hedd a thangnefedd.

Adios, yr hen fynyddoedd gogoneddus: gwyliwch y plant sy'n nythu wrth eich traed.

Gwymon y Môr

Eluned Morgan

Cu oeddet gennyf fi, fy Nhad,
Cu oeddwn innau gennyt ti –

O, boed fy moes fel moes fy nhad,
A boed ei Dduw yn Dduw i mi.

Eifion Wyn

Rhagair

Yn wylaidd iawn y dymunwn gyflwyno fy nhipyn *Gwymon* i'r cyhoedd Cymreig.

Mae popeth sydd a fynno â'r môr yn angerddol ddiddorol i mi, ac uchafbwynt fy nedwyddwch yw cael marchogaeth ar ei donnau aflonydd, a drachtio'n helaeth o'i awelon bywiol. Ond gorchwyl anodd iawn yw rhoi mynegiant teilwng i fwyniannau mor fawr, a pho ddyfnaf y mwyniant, anoddaf yn y byd traethu dim arno.

Rwyf fi yn un o blant y môr hefyd, ac nid gwiw disgwyl i bawb ei garu fel y caraf fi ef; ond fe hoffaswn allu dweud yn well amdano – am ei fawredd a'i ehangder, ei gyfaredd a'i dlysni, a'i dangnefedd cysegredig; ond duwies celf yn unig all ddweud dim yn deilwng ar destun mor hudol.

Cesglais y gwymon, ac â bysedd anghelfydd fe'i plethais yn dorch, ond rywsut yr oedd pob cyffyrddiad o'm heiddo yn edwino'r blodau pêr, ac yn tynnu gwlith y môr oddi ar bob deilen ir.

Breuddwydiaswn am harddach galennig i'm cydgenedl, ond dyna, leied o'n breuddwydion sy'n cael eu sylweddoli, onid e?

Calan, 1909.

Prudd a Llon

Pam na bai pawb yn caru'r môr? Sut na chanai'r beirdd fwy am ei eangderau, ei fiwsig swynhudol, ei gyfrinion a'i ddieithrwch; canu amdano yn ei wên a'i lesni, canu amdano yn ei wg a'i storm? Robert Owen y Bermo, onid e, ddechreuodd chwarae bysedd cun hyd dannau'r dyfnder, ond daeth nychdod ac angau i barlysu'r bysedd cyn prin roi tant ar delyn. Ond mae ei gariad at y môr fel llinyn arian drwy bob canig o'i eiddo; tarodd gyweirnod newydd ym marddoniaeth ei wlad, a hyfryd fyddai gweld mwy yn dilyn yn ei gamre.

Eithr na feddylied y bardd y gall yfed o hudoliaeth y môr ar draeth y Rhyl neu ar dywod Aberystwyth. O na, rhaid mynd allan i ganol yr eangderau, mentro bywyd ar ei donnau aflonydd, cael bedydd esgob yn yr ewyn gwyn, cael ei suo i gysgu yn ei furmur lleddf; ei weld yn ei ddicllonedd berwedig, a theimlo ei gynddaredd yn ysgwyd pob gronyn o hunanhyder o'r galon, gan lapio'r enaid yn ei fantell werdd a mynd ag ef drwy fydoedd anhysbys, ac agor ei lygaid i weld rhai o'i alluoedd mawr Ef. Dyna rai o'r goruchwyliaethau y byddai rhaid i'r bardd fynd drwyddynt cyn y gallai ganu dim yn deilwng am y môr.

A'r môr, yr hen fôr, fy addysgydd
Yn blentyn, a'm cyfaill yn hŷn;
Y môr, mor ddynol newidiol,
Ac eto mor Ddwyfol yr Un.

Dyna oedd fy nheimlad innau wrth groesi o Gymru i Ddeheudir America rai blynyddoedd yn ôl, ac yng nghyfaredd a thangnefedd tonnau Môr Iwerydd euthum i ddechrau nyddu'm profiad, ac i roi ar gof a chadw rai o'm hargraffiadau yn ystod y pum wythnos y bu'r llong yn dyfal deithio o un cyfandir i'r llall; a chyda'th ganiatâd, ddarllenydd mwyn, mi ddyfynnwn ambell frawddeg fel y gwelwn orau, ac os bydd gormod môr yn y stori, maddau, a chofia mai 'Man fy ngenedigaeth ydoedd'.

Cychwyn o Lundain ar fore o haf, ond digon prin y mae neb ohonom yn gallu mwynhau gwenau'r haul heddiw – mae gormod o firi a dwndwr ar ddec y llong, mae cwmwl ar bob calon hefyd, a niwl dros bob llygad. I'r teithiwr amhrofiadol mae yno le difrif iawn; mae'r cannoedd llongau a'u cyrn a'u hwyliau yn dyrchu tua'r nen, a'r mil myrdd rhaffau fel gwe'r copyn yn dallu'r llygaid wrth edrych arnynt, a phob agerlong wrth gyrraedd a chychwyn fel pe'n cystadlu mewn seiniau aflafar.

Does ryfedd yn y byd fod aml un o ganol tawelwch gwlad a hamdden y cartref mynyddig wedi colli ei ben wrth gychwyn ei daith gyntaf tros fôr. I mi, nid oes dim yn fwy angerddol ddiddorol na gwylio llond llong o deithwyr ryw bum munud cyn codi'r angor. Maent yn gwmnïau bychain yma ac acw ar hyd y dec – ambell deulu cyfan, a chyfeillion wedi dod i ganu'n iach, maent hwy yn llawen a siaradus; ond anaml y gwelir gwyneb llawen ymysg y teithwyr: mae digon yn gwenu, ond buasai'n fil gwell eu gweled yn wylo, gan brudded eu gwên; ac y mae yno wylo chwerw hefyd, tadau a mamau yn ymwahanu, plant a rhieni yn ffarwelio, ond os gallant wylo mae'r loes fwyaf drosodd, y rhai sy'n methu wylo sy'n dioddef fwyaf, maent mewn conglau unig ar hyd y llong a'r galon ysig yn ddelw brudd ar bob gwyneb.

Mae yno hen deithwyr profiadol hefyd, wedi llwyr galedu, a rhai ohonynt yn gwenu'n ddirmygus ar y ddrama brudd, a dyma'r bobl fwyaf anniddorol a thruenus ar yr holl long, rhai wedi colli tynerwch calon a'r gallu i gydymdeimlo, nid oes ond cam rhyngddynt a cholli eu dynoliaeth wedyn.

Ond dyna gloch yn canu! Da y gŵyr pawb ei hystyr; mae aml galon wedi bod yn crynu rhag ei hofn ers amser, ond ni ŵyr y gloch ffarwél ddim am drugaredd, ei gwaith hi ar hyd y blynyddoedd fu gwasgar anwyliaid oddi wrth ei gilydd, ac y mae ei seiniau clir yn rhybudd i bob ymwelydd i glirio oddi ar yr agerlong; a dacw'r llongwyr gwisgi yn dechrau datod y rhaffau cydiol, y ddolen olaf rhyngom a'n cyfeillion. Teimlir cynyrfiadau yng nghrombil yr hen agerlong, a gwelir mewn braw fod gwynebau y rhai safant ar y lanfa yn mynd yn fwy aneglur, ac yna daw'r sylweddoliad, a cherdda fel bysedd trydan ar draws llinynnau calon a pharlysa bob cynneddf am ennyd. Ond mae'r dwylo ar y lan yn chwifio'r cadach gwyn – ymysgwydwn ac ymwrolwn, dyma rywbeth i'w *wneud* er meirioli'r iâ o gylch calonnau; allan â'r cadachau, fyny â'r hetiau! cawn ddigon o amser i wylo eto, rhown fonllef siriol, ddewr, i'r rhai sydd yn eu dagrau ar y lanfa, bydd hynny'n atgof melys iddynt i'w gario adref. Parha'r baneri gwyn i chwifio fel cenhadon hedd a gobaith tra y gall llygaid eu gweled, ac yna try pob un i chwilio am ei gell, ac i geisio gwneud trefn ar ei eiddo cyn y bydd yr hen long yn dechrau ymlawenhau a dawnsio ar frig y tonnau.

Yn araf y teithiem ar y dechrau, pasio llawer o fân agerlongau yn orlawn o bleser-deithwyr i Margate a mannau eraill; rhyw haint ryfedd yw'r haint blesera sydd wedi meddiannu dynoliaeth y dyddiau hyn, rhyw wanc diorffwys, fel pe byddai ar bawb ofn bod wrtho'i hun am hanner awr; tyrru at ei gilydd yn gwmnïau niferus i glebar a pheidio *meddwl* am ddim. Rhyfedd fod yr hen fôr yn goddef cymaint gwagedd ar ei donnau glaswyn.

Mae'r Sianel yn llawn o longau hwyliau a chychod pysgota, rhai'n mynd a rhai'n dod, rhai a'u hwyliau'n wyn, a rhai a'u hwyliau'n goch, a'r ddau liw yn plethu'n hapus ar fachlud haul, aeth i lawr heno fel pelen o dân, a chwmwl du tu cefn.

Dechreua'r gwynt chwiban ei leddf-nodau dwys, gan ddyblu'r hiraeth mewn aml galon unig, ac o un i un fe welir y teithwyr yn diflannu tua'r gwaelodion i geisio anghofio pob diflastod ym mreichiau tyner cwsg, a dyna'r olwg olaf geir ar y rhan fwyaf am y tri neu bedwar diwrnod nesaf. Cyndyn iawn fyddaf fi i droi tua'r gell gul-gyfyng: hyfrytach yw drachtio'r awelon.

Fel yr aradra'r hen long drwy'r tonnau, cynydda'r gwynt yn ei nerth, dua'r ffurfafen, cilia'r sêr yn wylaidd-ddychrynedig, a choda'r tonnau fel cewri'r dyfnder, gan drin y llong fel tegan; ond er bod yr wybren yn gwgu, mae deddf y môr yn ddiogel yn llaw'r Deddf-roddwr; mae'r cadben fel eryr ar ei dŵr yn gwylio'r arwyddion, mae'r llongwr celfydd wrth y llyw, mae'r tân a'r trydan sydd yng nghrombil y llong yn weision ufudd i'r dwylo medrus sy'n eu trafod, a thrwy'r nos a thrwy'r storm mae'r agerlong yn dyfal deithio.

A phan dorrodd y wawr, yr oedd pawb yn fyw, a dyna'r gorau ellid ei ddweud am y rhan fwyaf.

Haul a Chwmwl

Bore Sul. Er sionced y llong drwy'r nos, a phrysured y tonnau, ymdawelodd y cyfan i groesawu'r Sabboth, a chododd yr haul yn ei wenau fel pe am wneud ymddiheuriad i'r teithwyr dychrynedig am arwed groeso. Bore hyfryd; pasio Ynys Wyth yn gynnar; y creigiau mor wyn a'r môr mor lân, llethrau'r ynys mewn mantell werdd, y tai yn nythu mewn cilfachau cysgodol, y llong yn chwifio baneri wrth fynd heibio i ddweud pwy oeddem a phryd y cychwynasom.

Cael tipyn o wasanaeth Eglwys Loegr y bore; y canu'n druenus, a'r llithoedd yn ddiflas ac anniddorol, y cyfan yn un peirianwaith dienaid, pobl yn dweud geiriau heb ystyried ac yn canu heb deimlo. Ogoneddused y gellid gwneud gwasanaeth crefyddol ar y môr pe gellid tiwnio calonnau mewn cytgord â'r cylchynion; ond byddai rhaid cael sant i wneud gwyrth felly, mae'r amrywiaeth ymysg y teithwyr mor fawr, a'r dibristod o bethau ysbrydol mor nodweddiadol o'r elfen Seisnig salaf, fel nad oes yr un ddelfryd y gellid bachu dim wrthi.

Diwrnod o ddifyrion yw'r Sabboth ar y môr; diwrnod i'r rhai sydd wedi bod yn ffuantu crefydda ar y tir i dynnu'r *mask* a dangos eu lliw, a diwrnod i blant y byd i lunio pob gwagedd; o'r ddau ddosbarth, mae'r olaf yn llawer mwy goddefol.

Tua hanner dydd, dechreuodd natur wgu fel pe'n eiddigeddus o'i hurddas wrth weld fel y diystyrid ei gwenau gan eu defnyddio i amcanion annheilwng. Yn araf a distaw ymgaeodd y niwl amdanom, a dechreuodd y corn niwl udganu'n aflafar a diorffwys, ac mewn ychydig amser gellid tybied fod holl longau'r byd wedi crynhoi i'r Sianel, a phob un yn chwythu corn. Dyna le roedd clustfeinio, canys y glust oedd yn llywio'r llong erbyn hyn, a buasai'r camgymeriad lleiaf yn ddigon i hyrddio'r llong a'i llwyth i waelodion môr ar amrantiad; eithr ychydig yw nifer y rhai sy'n sylweddoli'r perygl, a diau mai hynny sydd orau, ond mae awr neu ddwy o niwl yn y Sianel wedi byrhau oes aml i gadben dewr.

Wedi clirio o'r niwl, a chyn i'r haul ddechrau gwenu drwy ei ddagrau, taenwyd y nen eilwaith â düwch dieithr ac aeth fel hanner nos; dechreuai'r taranau ruo yng nghôl y weilgi, gwibiai'r mellt drwy'r gwyll gan wisgo'r môr ag ysgarlad. Bu natur yn bygwth ysbaid awr, a phawb yn disgwyl mewn distawrwydd, ond wele ollyngdod o'r diwedd, a chenllif o law bron ddigon i suddo'r llong, a phob un yn ffoi am einioes i'w gell.

Ond buan y daeth cymylau hedd i'r golwg, a chyn pen yr awr yr oedd yr haul yn edrych yn syn ar fôr o risial llonydd, a'r awel falmaidd o ddoldiroedd ffrwythlon Ffrainc yn suo ganu rhwng yr hwyliau, fel gwenyn ar nawn tesog.

Yr oedd cryn dipyn o sirioldeb a chywreinrwydd i'w ganfod ar wynebau'r teithwyr erbyn hyn, canys yr oeddynt yn nesu at borthladd bychan La Palice, ac yr oedd y gobaith o gael rhoi troed ar dir, pe ond am hanner awr, yn foddion cysur anhraethol i aml longwr go simsan.

Melys iawn oedd glesni a blodau, a phêr awel o'r mynydd, ac iechyd i galon ac ysbryd oedd gweld y Ffrancod llawen, diddan, wedi dod yn llu o Baris i gwrdd â'r agerlong Brydeinig. Deuent hwy o ganol tlysni natur a chelfyddyd, ac adlewyrchai'r cyfan yn ddarlun prydferth ar bob gwyneb, yn enwedig ar eiddo'r plantos bach oeddynt bron dlysed â'r blodau garient yn eu dwylo; a rywfodd ymsiriolodd pawb yng nghyfaredd y wlad a'r bobl.

Mae'r tramorwyr, o'u cael o'r dosbarth gorau, yn gyd-deithwyr dymunol iawn, yn fwy felly na'r Prydeinwyr cyffredin: creadur rhyfedd yw John Bull ar y môr, credwch fi; mae'n lapio ei hun fel *tortoise* mewn cragen, ac yn ceisio cadw'r holl ddeddfau a'r seremonïau cymdeithasol i drwch asgell gwybedyn, ac yn gwgu ac yn brochi os meiddia neb ddweud gair wrtho heb yn gyntaf fynd drwy'r ffurf o gyflwyniad. Mae'n gwneud ei hun yn druenus o unig, ac yn destun sbri dihysbydd i'r tramoriaid rhadlon, di-lol.

Fe gymer agos i bythefnos i'r cwmni ymdoddi'n aelwyd, a phawb i wneud ei ran yn ôl ei allu i ddedwyddu a difyrru naill y llall.

Ni cheir treulio llawer o oriau yn La Palice, dim ond digon i bawb ddechrau gwella ac ymysgwyd o hunllef y storm.

Ofn y Môr

Nid oes ond yr hen deithiwr profiadol yn cofio mai croesi Bae Vizcaya fydd y rhaglen nesaf; ond nid myfi yw'r un i roi drygair i'r hen Fae, canys dyma fy nghartref, a chas gŵr na charo'r wlad neu'r môr a'i magodd, onid e? Doedd dim eisiau llaw fy mam i siglo'm crud i; nid pawb sy'n cael tonnau môr Iwerydd i siglo'i grud. Rwyf wedi gweld yr hen Fae yn ei wg a'i wên aml dro, ond ni fyddaf fyth ddedwyddach nag yn fy mro enedigol.

Ond i'r teithiwr cyffredin, bwgan ofnadwy yw Bae Vizcaya, ac mewn ofn a dychryn y gwyneba pawb arno.

Mae un peth na ddeallais erioed – ofn y môr! I mi, mae'r dwyfol a'r anfeidrol yn nes ar y môr nag yn unman arall. Meddwl a gallu y Penllywydd mawr sydd o'n cwmpas ym mhob cyfeiriad; does ond y gragen fach a elwir yn llong a dim o ddelw'r dynol arni. Wrth sylweddoli mor ddiymadferth ydym yng nghanol galluoedd mor aruthrol, naturiol iawn i bob enaid ystyriol ymorffwys yn fwy llwyr a hyderus yng Nghrëwr y galluoedd.

Mae'r eangderau sydd o'n cwmpas, a'r wybren serog uwchben oll, yn datgan gallu'r Hwn a'u gwnaeth. Os yw'r Hwn sy'n llywio'r moroedd alluoced, paham yr ofnwn? Onid all Efe hefyd lywio'n bywyd bychan ni, os byddwn fodlon i roi'r llyw yn Ei law? Pe wynebem stormydd tir a môr yn yr ysbryd yna, ni chaffai ofn loches yn ein calonnau.

Cychwynasom o La Palice fin yr hwyr, wedi treulio rhai oriau dedwydd ar y lan, yn mwynhau'r golygfeydd dieithr, ac yn prynu cywreinion i'w cario adref i'n hanwyliaid.

Yr oeddem wedi cael eitha' ysgytfa wrth groesi'r Sianel, ond pe buasem ond yn gwybod, nid oedd ond fel murmur môr o bell. Daweled oedd yn y porthladd nes y gwenieithem i ni ein hunain y byddai'r storm wedi dofi erbyn yr aem allan, ond wedi bod yn dyfal gasglu ei nerthoedd ynghyd yr oedd, a phan aeth y llong allan o gysgod yr arfordir, rhuthrai'r hen Fae i'w chyfarfod fel rhyfelwr yn barod i'r gad.

Gwaeddai'r cadben oddi ar y bont: 'Cliried pawb oddi ar y dec!' Ond yr oedd fy nghalon yn llawn gwrthryfel: nid oeddwn fodlon i golli un o olygfeydd godidocaf y Crëwr. Gyda chryn drafferth y medrais gyrraedd at y cadben, a bûm yn eiriol ag ef ysbaid pum munud pryderus, yn dadlau fy nadl yn deg a difrif. Yr oedd arnaf eisiau *gweld* y storm heblaw ei theimlo. 'Does ond un ffordd ddiogel,' meddai'r llywydd caredig, bydd raid eich clymu â rhaff gref wrth un o'r hwylbrenni.' Parod oeddwn i gydsynio â phopeth er mwyn cael fy nymuniad: felly, wedi fy lapio mewn hugan llongwr rhag gwlychu, rhwymwyd fi'n gadarn wrth yr hwylbren, tra'r swyddogion a'r llongwyr yn gwenu'n dosturiol at fy ngwallgofrwydd; ond yr oedd yr hen gadben yn deall i'r dim: Gwyddel oedd ef, a'r breuddwydion Celtaidd heb ddiffodd yn ei galon.

Cynyddu roedd y storm, ac fel pe na buasai'r gwynt a'r tonnau cynddeiriog yn ddigon, daeth y taranau a'r mellt i chwyddo'r gytgan; golchai'r tonnau fel mynyddau dros y llestr eiddil, a fflachiai'r mellt ar yr ewyn gwynlas berwedig gan wneud y môr fel enfys, ac yna tywyllwch, y ffurfafen a'r dyfroedd am y duaf, ac yn y gwyll ofnadwy hwnnw clywid y daran megis o gôl y weilgi wallgof yn rhuo ac yn diasbedain nes yr oedd pob astell o'r hen long yn crynu ac yn ysigo, ac yna deuai'r mellt fforchog drachefn i wibio a phlethu rhwng rhaffau'r llong fel seirff tanllyd. Ond yr olygfa odidocaf oedd gweld y cenhadon tanllyd yn cerdded y don, yn mynd o fynydd i fynydd, ac fel pe'n cusanu brig y gwynlas ddŵr.

Ac yn fy myw nis gallwn beidio edmygu'r hen long yn brwydro mor ardderchog drwy'r cyfan. Rhyfedd ac ofnadwy ei alluoedd Ef, ie, a rhyfedd ac ofnadwy ddyfais dyn hefyd a grëwyd ar Ei ddelw, ond ni welais ac ni theimlais erioed o'r blaen agosed y cysylltiad.

Cefais bedair awr o wynfyd adawodd ei ôl ar fy holl fywyd,
a gwyn fyd bawb gaffo gyffelyb brofiad. Ond tra'm henaid yn
gwledda mewn gorfoledd, yr oedd fy nghorffyn tlawd wedi ei
barlysu gan oerni a blinder; a thyner iawn fu gofal yr hen
bennaeth ohonof, a chafodd ras i dewi hefyd: yr oedd ei natur
gynnes Wyddelig yn deall nad oedd siarad yn bosibl wedi
cymaint teimlo, ac mai gorffwys oedd fy angen mawr, ac fe'i
cefais yn ei holl felyster. Dywedwyd wrthyf wedyn fy mod
wedi cysgu gylch y cloc yn grwn, a phan ddeffroais ac edrych
drwy'r ffenestr, yr oedd yr haul yn gwenu'n siriol, a glas
lethrau Portiwgal yn graddol ddod i'r golwg, ac O! yr oedd y
byd yn dlws y bore arbennig hwnnw; ni fu fyth cyn dlysed, a
minnau'n dechrau byw o'r newydd.

Portiwgal a'i Phrifddinas

Portiwgal dlos, a'i mân borthladdoedd, mor hudol yw'r cyfan; mae'r llygaid yn gloywi wrth syllu ar ei hamrywiol swynion.

Mae'r llong yn llithro'n araf esmwyth dros fôr digon llonydd erbyn hyn; mae golwg dangnefeddus ar y pentrefi a'r bythynnod, nid ydynt wedi eu hadeiladu yn y cymoedd tywyll ond ar y llethrau ffrwythlon ac mewn cilfachau cysgodol, a'u gwyneb tua'r môr. Bu'r dyfnder yn sibrwd cyfrinion i drigolion Portiwgal ar hyd yr oesau, gan eu denu fel magned; gwnaethant wrhydri ar y moroedd, a bu eu llongau yn cyniwair ledled y ddaear. Cyfrifir oes aur Portiwgal o'r flwyddyn 1400 hyd 1580; yn y cyfnod hwn meddiannwyd Ynys Madeira, aeth Bartholomew Diaz gylch Penrhyn Gobaith Da, darganfu Vasco de Gama y ffordd i'r India a phlannwyd baner Portiwgal ar ddaear gyfoethog Brasil. Ysbryd anturiaeth oedd ysbryd y wlad yn y dyddiau hynny: straeon arwyr y môr oedd Tylwyth Teg y plant, ac uchelgais pennaf pob llanc oedd cael bod yn forwr ac yn ddarganfyddwr.

Yn Sbaen yr oedd Columbus ieuanc yn dechrau breuddwydio ei freuddwydion mawr, ac yn gwrando'n awchus ar bob stori arwrol ddeuai o Bortiwgal, ac yn penderfynu, er tloted oedd, y mynnai fynd i Lisbon i astudio morwriaeth o dan yr hyglod Perestrillio. Hawdd dychmygu ei ddyddiau dedwydd o dan addysg yr athro medrus, ac fel y tyfodd ac y datblygodd ei gynlluniau mewn awyrgylch mor gydnaws. Yr oedd yna lawer ym Mhortiwgal yn credu yn y proffwyd ieuanc, ond nis gallai'r Llywodraeth ei gynorthwyo â llongau, fel y bu raid iddo ddychwelyd i'w wlad a'i ddyhead heb ei ddiwallu, ond yn hytrach wedi ei angerddoli ar ei filfed.

Dioddefodd ddirmyg a gwawd, a thlodi, a siom ar ôl siom yn ei ymdrech ddiorffwys i gael gan awdurdodau Sbaen i gredu yn ei weledigaeth, a rhoi llongau at ei wasanaeth – greuloned yw'r byd wrth ei phroffwydi. Ond llwyddodd yn y diwedd, a phan yn dychwelyd o'i fordaith fuddugoliaethus, cawn ef yn galw yn Lisbon i dalu gwrogaeth i'w hen athro a'i gyfeillion, ac i'w anrhegu â thrysorau'r wlad newydd; eithr eiddo Sbaen y clod a'r llynges, a phrin y maddeuodd Portiwgal iddi ei hun fyth am wrthod gwasanaeth y gweledydd ieuanc a cholli'r fath gyfle euraidd.

Ond, tra minnau'n teithio'n ôl ar hyd y canrifoedd, mae'r llong yn teithio ymlaen, ac yn agosáu at borthladd Lisbon, a phrifddinas Portiwgal, y ddinas harddaf yn Ewrop ac eithrio Caer Gystennin a Napoli, medd teithwyr profiadol; dlysed ydyw, fel mai rhyfyg fyddai ceisio disgrifio fawr arni: rhyw syllu'n fud-freuddwydiol yw'r cynllun gorau, a drachtio'r cyfan i mewn i'r enaid a'i storio yno erbyn dyddiau newyn.

Prin y câi'r llong amser i daflu angor yn y porthladd ardderchog nag yr amgylchynir hi ag ugeiniau o fân gychod; deuant fel haid o wenyn gan wybod drwy brofiad fod mêl ym mhwrs y Sais. Anodd fuasai dweud pa un ai'r cychod ynteu'r cychwyr neu eu nwyddau oedd fwyaf diddorol. Meddyliwch am gwch o liw'r ddôl ar fore o wanwyn, a'i lond o eurafalau a grawnwin, a chychwr wrth y rhwyfau wedi ei wisgo fel enfys, a'i wyneb o liw'r haul, a'i wallt fel y nos, a'i dafod yn mynd fel rhaeadr!

Rhyfedd meddwl fod y cwmni cymysg yma yn hanu o'r hen Iberiaid a'r Celtiaid fu'n meddiannu'r wlad gyfoethog yma, ac yn cynorthwyo i wneud hanes y byd. Pa fodd y cwympodd y cedyrn!

Mae pob teithiwr cyfarwydd yn bachu pob cyfle i gael gwib i'r lan yn y gwahanol borthladdoedd, er ystwytho cymalau, a chael cip ar gyrrau'r wlad. I rywun yn mynd o ddinasoedd Prydain gyda'u rhesi tai o liw'r mwg, a'r tipyn glesni sy'n nychu o dorcalon, mae'r cyfnewidiad i bentrefydd heulog hinsoddau cynnes fel cip ar wlad hud; mae'r tai a'r coed a'r

blodau a'r trigolion fel pe'n ymgystadlu â'i gilydd mewn tlysni
a sirioldeb: a dyna beth amheuthun i Brydeinwr, sy'n gorfod
byw mewn corwynt parhaus, yw cael glanio mewn gwlad lle
nad oes neb fyth yn brysio, gan ddweud yn hamddenol, os na
ellir gorffen gorchwyl heddiw y gwnaiff yfory yr un tro yn
union, ac os na fydd yr un fory, wel, ni fydd eisiau ei orffen o
gwbl.

Mae pawb sydd wedi bod yn Ffestiniog yn sicr o fod wedi
sylwi ryfedded yr adeiladwyd Tanygrisiau. Rhyw estyll wedi eu
naddu o'r graig, a rhes o dai ar bob astell nes cyrraedd i ben y
mynydd. Mae Lisbon hefyd wedi ei hadeiladu ar raddfa, ond
nid yw'r tramorwr yn credu dim mewn rhesi o dai unffurf,
unlliw; adeilada ei dŷ fel y gwna'r aderyn ei nyth, man ac fel y
mynno: y canlyniad yw bod y mân fryniau sy'n cyfansoddi
dinas Lisbon yn dryfrith o dai o bob lliw a llun. Mae natur
hefyd wedi bod yn ddiwyd a hael, a lle na bo tŷ y mae gardd –
a'r fath erddi! Pwy fyth all eu disgrifio? Nid pethau i'w disgrifio
ydynt, ond i'w mwynhau mewn distawrwydd cysegredig. Mae
natur fel pe wedi bod yn tywallt bendithion ar y fro heulog, a'r
dyn yntau wedi bod yn dyfal gario ceinder gwledydd i harddu'r
hen gartref. Ochr yn ochr tyf pinwydd y gogledd ac
ewcalyptws Awstralia, camelia Siapan a blodau amryliw Brasil;
ac mae'r eurafalau a'r grawnwin gyffredined â mwyar duon ar
berthi Cymru.

Mae'r tai hefyd mewn cytgord perffaith â'u cylchynion; mae
melyn, coch a gwyrdd yr anheddau yn plethu'n hapus â'r
blodau dyf mor rhonc wrth eu drysau, ac ar hyd y muriau;
mae'r gerddi cyhoeddus yn batrwm mewn tlysni a chwaeth;
gresyn mawr nad efelychai Prydain ddinasoedd y Cyfandir yn
ei gerddi cyhoeddus: atodent lawer at eu harddwch, heblaw y
byddent yn elfen ddyrchafol a phurol ym mywyd y bobl, ac yn
sirioldeb ac iechyd i bob ardal. Dyma gyrchfa gyffredin y
gweithiwr i fwynhau ei fyrbryd a chael cyntun awr ginio, ac
yma y daw fin yr hwyr a'i deulu gydag ef i ymhyfrydu yn ei

gylchynion, ac i ymddiddan â'i gyfeillion a thrafod pynciau'r dydd. Mae'r rhan helaethaf o oriau hamddenol y gweithiwr tramoraidd yn cael eu treulio yn yr awyr agored, ac er bod y gerddi yng nghanol y dinasoedd, mae natur mor dirion yn ei chysgod a'i thegwch fel mai prin y sylweddolir fod cymaint tai o gylch.

A phan drwy ludded a gwres y cyrhaeddir pen un o'r bryniau, mae'r olygfa yn ad-dalu ar y ganfed am bob llafur. Mor urddasol yr edrych prif afon y wlad yn ei thaith hamddenol tua'r môr; mae golwg freuddwydiol ar bopeth o'i chylch, ac mae'r cychod di-rif sy'n llithro dros y llyfn-ddŵr yn ddarlun byw o'r wlad a'i phobl. Cenedl yn hoffi esmwythyd, wedi peidio ymegnïo na breuddwydio, cenedl wedi sefyll, a byth yn tyfu o'i babandod: ei llinynnau wedi disgyn mewn lleoedd hyfryd, hithau yn lle defnyddio'r cyfan i ymloywi a datblygu, yn llaesu dwylo ac yn hepian yn ei hawddfyd. Gresyn, tra'r hen gewri frwydrasant dros ei rhyddid wedi cysegru'r ddaear â'u gwaed.

Eithr nid llawer o amser geir i feddwl am hanes unrhyw le: mae chwibanogl yr hen agerlong yn aflonyddu ar bob breuddwyd, a rhaid fydd dychwel cyn prin ddechrau mwynhau y golygfeydd dieithr a diddorol. Ond mae ychydig oriau o newid cylchynion a chymdeithas yn atodi llawer at bleser y daith, ac yn torri ar unffurfiaeth bywyd peiriannol ar fwrdd llong.

Suddai'r haul i'w wely yn y weilgi, ac wrth fynd taflai wreichionen oddi ar ei allor danllyd ar farmor gwyn y Senedd-dy, a dyna i chwi ddarlun o waith llaw'r Arlunydd Mawr ei hun sy'n herio pob disgrifiad. Dyna'r olwg olaf gawsom ar Lisbon, prifddinas Portiwgal.

Gardd Gwledydd y Nawn

Welc ni unwaith eto ar y cefnfor a'n gwynebau tuag Ynysoedd Canarïa. Mae'r iâ cymdeithasol yn dechrau toddi ar ddec y llong erbyn hyn, a phobl yn dechrau cael ambell sgwrs ddiddorol. Gall taith tros Iwerydd fod yn hynod addysgiadol ond cadw llygad a chlust yn agored; ceir teithwyr o bob gwlad ar longau fel hyn, a rhai wedi bod gylch y byd lawer gwaith. Dyma le cefais fy syniad cyntaf am ddaearyddiaeth; collais lawer awr o gwsg pan oeddwn yn yr ysgol ers llawer dydd, yn ceisio dyfalu lle roedd y gwledydd y darllenaswn amdanynt, a sut bobl oedd yn byw ynddynt, ond ni chefais fawr oleuni ar yr achos nes i mi ddechrau teithio'r moroedd, a chwrdd â phobl o'r gwahanol wledydd, a'u holi'n ddiderfyn, a gall un holi llawer mewn mis o amser.

Ar ambell daith ni fydd eisiau agor llyfr o gwbl, mae pob teithiwr yn llyfr ynddo'i hun, ac yn fil mwy diddorol na'r un llyfr ysgrifennwyd erioed; stori'r gwledydd, dyna'r stori wna'r argraff ddyfnaf ar bob calon.

Erbyn hyn mae'r hen fôr wedi ymdawelu llawer, ac yn fwy tirion o'r cleifion gawsent amser mor annedwydd a chyn lleied o gydymdeimlad; does dim fel heulwen i sirioli ac ymadnewyddu. Mae hi mor boeth ac mor braf, a phawb mor ddiog, fel nad oes ynni hyd yn oed i ysgrifennu dyddlyfr – dim ond gorffwys a breuddwydio, a gwylio'r môr a'r lleuad, a dotio at y ffosfforws gylch y llong, a cheisio dal ambell bysgodyn hedegog hudir gan oleuni'r llong fel gwybedyn i we'r copyn.

Darllen gyda blas a hwyl daith Thoreau i lawr y Concord,[4] a meddwl hawdded fyddai i ambell Gymro ysgrifennu llyfr tebyg

---

[4] Cyfeiriad at lyfr yr awdur o America, Henry David Thoreau (1817-62). Yn ei lyfr *A Week on the Concord and Merrimack Rivers* (1849) disgrifiodd ei daith ar hyd yr afonydd hynny ym 1839.

pe caffai hamdden o frwydr bywyd.

Bûm yn sefyll yn hir heno yn gwylio'r newydd loer yn gwyro pen fel plentyn blinedig, ac yn disgyn yn esmwyth ar fron yr eigion, ac wrth gau ei hamrannau yn y gorwel pell yn gadael cenadwri gobaith yn llewyrch gwyn o'i hôl; ac yn awr nid oes gennym ond yr wybren serog a'r môr aflonydd, a'r tipyn llong fel gwybedyn ar y tonnau, ond rhyfedd cyn lleied o feddwlgarwch sydd ymysg y teithwyr sydd yn troedio'r dec o ddydd i ddydd, ac yn gwylio Ei ryfeddodau mawr Ef â llygaid mor ddiystyr. Mae'r haul yn troi'r môr yn borffor 'a'r lloer yn ariannu'r lli', y cymylau gwynfrigog yn llanw'r ffurfafen â'u gogoniant, y wawr yn gwisgo'r môr mewn dwyfol wisg bob bore, ac yn gwasgar blodau o ardd paradwys i bereiddio'r awel, ac wele – nid oes un galon yn dychlamu o lawenydd a diolch, na'r un enaid mawr yn dwysfyfyrio ar yr hyn a fu, ac y sydd, ac a ddaw eto.

Min yr hwyr disgynnodd colomen flinedig ar ddec y llong, a'i chalon fechan yn crynu gan ludded a braw; cwynfannai'n ddolefus, fel pe'n ceisio dweud ei stori, ac ennill ein cydymdeimlad. Buwyd yn hir cyn ei denu i dorri newyn a syched; nid oedd yn hoffi ei chartref newydd, hiraethai am y wynfa gollwyd ac am hen gymdeithion y dyddiau dedwydd gynt. Diau fod aml un ohonom yn nyfnderoedd calon yn cyd-hiraethu â'r golomen unig, ac yn meddwl am aelwyd fu gynt yn gyfan, dedwydd a siriol:

> Ond aeth un ar goll, gan grwydro 'mhell
> A gadael y gorlan glyd.

Dechrau darllen hanes Norwy heddiw, ac yn rhagweld fod gwleddoedd lawer o'm blaen; gwlad yr hen Sagas diddorol, a'r arwyr o hil gerdd. Rhyfedd na chymerem ni fel cenedl fwy o ddiddordeb mewn gwlad mor orlawn o ramant a thraddodiadau: cydnaws iawn fyddai'r stori i bob gwir Gymro, a llawer mwy buddiol i blant yr ysgolion na hanes rhyfeloedd gwaedlyd y Sacson difreuddwyd.

Ar y chweched dydd wedi gadael glannau Prydain ceir addewid am olwg ar dir Ynysoedd Canarïa ar doriad gwawr drannoeth. Os bydd rhywun ar y llong wedi bod yn yr ynysoedd hyn o'r blaen, mae'n mynd yn berson o bwys ar unwaith, a phawb yn tyrru ato, ac yn cynnal 'steddfod o'i gylch i holi a dyfalu; ond mawr cyn lleied ŵyr y teithwyr cyffredin am yr hen ynysoedd gogoneddus hyn – dim ond hanes y gwestai gorau a'r masnachdai, ac nid yw rheiny'n perthyn dim i'r ynysoedd: tramoriaid ydynt wedi dod i halogi'r hen fangre lonydd.

Os bydd gobaith am dir fore trannoeth mae pawb yn clwydo fel adar y noson cynt, er mwyn bod i fyny gyda'r lasddydd, a chlywed gwaedd gyntaf y morwr llygadcraff oddi ar yr hwylbren pan ddaw copa gwyn Teneriffe i'r golwg, a gwawl y bore yn troi'r llu llosgfynyddoedd sy'n britho'r ynysoedd hyn yn goelcerthi tanllyd i gyhoeddi'r dydd newydd sydd ar wawrio.

A dyna'r olwg gyntaf gawsom ar yr ynysoedd yn blygeiniol y seithfed dydd, tra'n dod o'n celloedd rhwng cwsg ac effro, ac yn sgrwtian yn awel lem y bore; ond nid oedd eisiau ond pum munud i syllu ar un o olygfeydd godidocaf y byd nad oedd pob cynneddf yn gwefreiddio yn swyn a chyfaredd y darlun. Mynyddoedd cribog, ysgythrog sydd yma, a rhychau dwfn yn nodi llwybrau'r lafa gwynias. Mae'r haul newydd olchi ei wyneb yng nglas y môr, ac yn dechrau brwsio ymaith lwch y nos er dangos yr ynysoedd yn eu holl ogoniant morwynol. Y niwl yn cilio'n swil, a'r coed yn dechrau moesymgrymu'n siriol gan suoganu ar eu tannau deiliog, a'r blodau'n chwerthin ac yn wincio ym myw llygad yr haul gan wynfydu yn eu harddwch. Fel y nesâ'r llong at y tir gellir gweld aml fwthyn gwyn yn swatio'n ddiddos rhwng y palmwydd; bythynnod coed y pysgotwyr bron ar fin y dŵr, a'r mân gychod yn dechrau codi eu hwyliau yn barod am waith y dydd; y geifr gwisgi yn ysboncio o graig i graig, ac yn blewenna'r glaswellt pigog.

Dan chwifio baneri a chwythu corn daw'r llong yn araf i borthladd Santa Cruz. Yma y daw y cleifion a'r cystuddiol o gorff a meddwl yn lluoedd niferus drwy'r flwyddyn – i werdd ynys y palmwydd; a buasai raid i ysbryd un fod wedi suro'n ofnadwy i fod yn annedwydd funud awr yng ngardd Eden yr Henfyd; dyma fu eilun a meinir y beirdd am oesau; amdani y canent ac y breuddwydient, gan eu llanw â phob swynion a hudoliaethau.

Yn amser Homer a Hesiod gelwid Ynysoedd Canaria yn Ynys y Dedwyddwch. Geilw Strabo hwy yn 'Ynysoedd yr Hapus', ac y mae Pliny yn fwy hapus fyth, geilw ef hwynt yn 'Ardd Gwledydd y Nawn'. Ond gellid yn hawdd gyfuno'r tri enw heb ormodedd canmoliaeth.

Yn ddaearyddol perthynai'r ynysoedd i Affrica, eithr y maent yn dalaith o Sbaen ers canrifoedd a Sbaeniaid yw'r trigolion, ond yn gymysgedig â'r hen elfen frodorol. Nid oes sicrwydd o ba gyff yr hanai'r trigolion cyntefig; ond y farn gyffredin yw iddynt ddod yn wreiddiol o Affrica, a'u bod yn gysylltiedig â'r Berberiaid a'r Arabiaid mewn iaith a defion. Mae'n wybyddus fod yna lwyth o bobl o'r enw Canarii yn byw mewn coedwig yng nghyffiniau Mynydd Atlas ar afon Ger, a bod eu bythynnod o gymysg glai a cherrig yn unffurf â rhai'r Guanches yn Teneriffe. Ffaith arall dra diddorol yw fod y Guanches yn perarogli eu meirw ac yn eu claddu mewn ogofâu, ac ni wyddys ond am ddwy genedl arall arferent wneud hynny, sef yr Eifftiaid a'r Periwiaid, felly rhaid rhestru'r Guanches ymysg cenhedloedd gwareiddiedig y byd; ac yn ôl pob hanes hen bobl ardderchog oeddynt, tal a chydnerth, goleubryd a llygadglas, dewr a chelfydd mewn rhyfel, pur eu moes, ufudd i'w brenin, yn llafurio eu meysydd ac yn gwylio eu praidd.

Rhyfedd meddwl fod yr ynysoedd a'u preswylwyr diwyd, diddorol, wedi bod ar goll am dair canrif ar ddeg; ac i'r Portiwgeaid y perthyn y clod o'u darganfod eilwaith yn y bedwaredd ganrif ar ddeg; ac yna rhoes Sbaen ei phig i mewn a bu'r ddwy wlad yn ymrafaelio amdanynt hyd y flwyddyn 1479, pryd y cyhoeddwyd hwy yn eiddo Sbaen.

Anodd meddwl fod concwerwyr mwy gwaedlyd a chreulon na'r Sbaenwyr wedi bod erioed. Mae pob llwybr buddugoliaeth yn goch gan waed y dewr a'r diniwed. Buont wrthi am flynyddoedd yn concro'r Guanches dewr, a thrwy frad yn y gwersyll y llwyddwyd yn y diwedd; cilient yn raddol tua'r mynyddoedd gan wneud eu hymgais olaf am ryddid a chartref o'u noddfa gaerog, ond yr oedd y fintai'n fechan ac yn llesg a llwm erbyn hyn; eithr daliai Beneharo, yr hen bennaeth, i ymladd fel llew, a'i ferch wrol ochr yn ochr â'i thad yn taro'r ergyd olaf. Ond profodd arfau Sbaen yn ormod i'r fyddin lew, a gorchfygwyd hwy â lladdfa fawr. Cymerwyd yr hen bennaeth yn garcharor ac amryw o'i ganlynwyr, ac aed â hwy i Sbaen fel ysbail rhyfel i *ddons* y llys gael llygadrythu arnynt, ond drwy drugaredd bu'r hen Beneharo farw o dorcalon ar y daith, a chafodd fedd yn y weilgi a garai mor fawr: canys dymuniad pob Guanche wrth farw oedd cael ei gladdu yn ddigon agos i'r môr fel y golchai'r ewyn gwyn dros fan fechan ei fedd, ac y mae'r rhan fwyaf o'u claddfeydd ar fin y dŵr.

Gwnaed y gweddill o'r brodorion yn gaethion, ac yna dechreuodd y Sbaenwyr losgi'r coedwigoedd ardderchog a harddent bob llechwedd, dinistrio'r adeiladau, dwyn a difa popeth o'u cwr, yn union fel y gwnaethant ym Mecsico a Pheriw, a thrwy'r moddion hyn colledwyd y byd o hanes rhai o'r cenhedloedd mwyaf diddorol. Mae effaith llosgi'r coed i'w deimlo yn mhob un o Ynysoedd Canaria hyd heddiw, gan mai prinder dŵr yw prif ofid ac anhawster disgynyddion y concwerwyr ynfyd.

Mae rhai o arferion a syniadau'r Guanches yn gywrain iawn. Credent mewn un Duw o'r enw Abora, yr hwn a drigai yn rhywle yng nghyffiniau'r haul, ond a ddisgynnai ar y mynyddoedd ar adegau i ymweled â'i ddeiliaid ac i'w bendithio. Codent dyrrau anferth o gerrig yma ac acw ar hyd yr ynysoedd, ac ymgynullent yn finteioedd i ganu a dawnsio gylch y tyrrau, gan aberthu ŵyn a geifr i Abora, y duw hollalluog.

Pan glafychai un hyd farw, cerid ef i'r ogof agosaf a dodid ef i orwedd ar wely o grwyn geifr, gan ofalu am ddigon o laeth a bara i'w nerthu ar ei daith. Yna ffarwelient â'r claf mewn distawrwydd, a châi farw yn ei dŷ o graig, a rhu y môr yn atsain rhwng y creigiau fel utgorn buddugoliaeth ar ddychweliad un pererin adre'n ôl.

Eglurent y gwahaniaeth rhwng tlawd a chyfoethog fel a ganlyn. Creodd Duw ddyn o bridd a dŵr yr un faint o ferched ag o ddynion, a rhoddodd iddynt ddigonedd o anifeiliaid a phopeth angenrheidiol at eu cynhaliaeth. Ond ymhen ysbaid, gwelodd fod y nifer yn rhy fach, a chreodd ychwaneg, ond ni roddodd iddynt ddim at eu cynhaliaeth, ond eu gorchymyn i fynd i wasanaethu eu brodyr, ac y caffent eu cynhaliaeth am eu gwaith, a disgynyddion y rhain yw tlodion ein byd.

Cosbid llofruddiaeth drwy alltudiaeth a throsi holl eiddo'r llofrudd i berthnasau'r llofruddiedig. Nid oedd eu cyfreithiau yn caniatáu lladd neb am unrhyw drosedd, gan ddweud nad oedd ganddynt hawl i gymryd ymaith y bywyd a roddwyd gan Dduw, ffaith y gallasai gwareiddiad yr ugeinfed ganrif ei hystyried yn ddwys heb golli dim o'i hurddas.

Mae Santa Cruz, prif borthladd Ynys Teneriffe, yn hen dref hynod ddiddorol. Ymddengys yr holl dai fel pe mewn cystadleuaeth i ddringo am yr uchaf ar hyd y llechweddau, ac i lechu ym mhob cilfach. Mae hafnau mawr yn rhychu pob mynydd yn Teneriffe, a bu amser pan oeddynt yn afonydd o lafa eirias, ac nid ydynt wedi colli lliw y tân eto; yn wir, maent yn debycach i liw'r enfys na dim allaf ddychmygu, ac mi gredaf fod y trigolion wedi bod yn ceisio efelychu natur wrth beintio eu tai, canys y maent o bob lliw a llun, ac yn yr anrhefn mwyaf deniadol a darluniadol, ac ym mhob llecyn lle mae gwynt canrifoedd wedi hel tipyn o'r pridd gwerthfawr mae toreth o flodau pêr nas blina'r llygad fyth i syllu arnynt, cyn dlysed ydynt. Mae pob gwyrddlesni yn Teneriffe yn ymddangos yn fwy gwyrdd nag yn unman arall, oherwydd ei brinder ar y mynyddoedd; ond na newidied neb mo'r hen fynyddoedd urddasol gyda'u stori fudhuawdl o'i alluoedd mawr Ef. Byddai'n iechyd i galon aml i Brydeiniwr ffwdanus a helbulus fynd i Deneriffe pe ond i weld y trigolion siriol, bodlon. Nid wyf yn credu fod pobl hapusach yn y byd. Nid ydynt yn gwybod beth yw gwaith yn ystyr Brydeinig y gair; torheulo ar gapan y drysau ac o dan y palmwydd ac ar fin y dŵr, a bwyta eurafalau a bananau, yw prif orchwylion eu bywyd. Nid oes wynebau mwy digrychni yn y byd. Nid ydynt byth yn tyfu allan o'u plentyndod, plant ydynt hyd ddiwedd y daith. Pan fydd eisiau cario cwpwl o gerrig oddi ar y *pier* i ryw ran o'r dref, daw rhes o gamelod rhadlon a thrwsgwl i'w hymofyn, a'r gyrrwr hapus yn ei gawell ar ei gefn yn edrych fel tywysog ar ei orsedd, a bydd raid cael hanner dwsin i godi un garreg fechan, a hwyl fawr fel lot o blant yn chwarae. Mae mulod Teneriffe yn enwog hefyd: tipyn mwy na geifr Cymru ydynt, a rhywbeth yr un lliw, ond y maent yn ffitio'r bobl i'r dim, nid am eu bod yn fach, ond am eu bod mor hamddenol ac mor hoff o gael ambell gyntun yn llygad haul.

Y peth cyntaf a ddangosir i dramoriaid yn Nheneriffe yw hen eglwys y Concepción. Nid oes dim yn gelfydd iawn yn yr hen eglwys, ond mae gan y Sbaenwyr drysor amhrisiadwy yn cael ei gadw ynddi, dim llai nag un o faneri Nelson fyd-enwog, ac enillasant hi mewn brwydr deg hefyd, ac fe gostiodd y frwydr ei fraich i Nelson ddewr, ac wrth ysgrifenu llythyr at Raglaw yr Ynys gyda'i law chwith am y tro cyntaf erioed, cydnebydd wroldeb ei elynion, a'u boneddigeiddrwydd dihafal.

Mae cael treulio noson yn Nheneriffe yn beth nas anghofir mewn oes. Wedi machlud haul prin y gwelir neb ar yr heolydd, ond ymgynullant ar nennau'r tai; dyna yw eu parlwr, i fwynhau awel falmaidd y môr, ac i glebran a dawnsio a chanu. Ymfalchïa pob teulu mewn harddu nennau eu tai â blodau a'r *creepers* mwyaf gorwych, ac ymddilladant mewn lliwiau cyffelyb, nes y mae'r cyfan yn edrych fel darlun o wlad Hud, ac fel y distaw nesâ'r nos, ac y fflachia'r goleuadau o'r cannoedd cilfachau, distawa'r gân a'r ddawns yn raddol; erys y rhan fwyaf o'r trigolion ar y nen drwy'r nos yn yr haf, gan daenu ychydig o grwyn geifr neu redyn i orffwys arnynt hyd y bore. Ond nid oes dafod na phin i ddisgrifio Teneriffe yn y nos.

Yr oedd arswyd y mynydd mawr gwyn arnaf; ymddyrchafai ei grib arianlliw rhyw ddeuddeng mil o droedfeddi tua'r nefoedd, a fflachiai pelydrau'r haul ar yr iâ oesol nes creu'r fath ddisgleirdeb dieithr, fel na synnai dyn glywed sain yr utgorn olaf oddi ar ei grib, a llu'r nef yn disgyn ar yr orsedd wen, i lanw llys y Barnwr, a phererinion byd yn dod dan ganu wedi cefnu ar bob gofid, loes a phoen.

Hoffwn greu awydd yng nghalon ambell Gymro a Chymraes i fynd ar ymweliad â rhai o'r ynysoedd swynol hyn, sydd mor agos atynt (dim ond taith chwe diwrnod), ond sydd â'u hanes mor bell yn ôl yn ein byd.

Gan fod Santa Cruz yn un o borthladdoedd y glo, mae pob teithiwr yn ffoi am einioes, gan adael rhwng y brodorion hamddenol a'r llwch du gwerthfawr sy'n mynd i'n cario'n groes i Fôr Iwerydd; a byddwn yn distaw ddiolch nad yw plant yr haul byth yn brysio, er mwyn inni gael digon o amser i wynfydu ar dlysni dihafal yr ynys; mae rhywbeth yn y fro sy'n hudo un i freuddwydio er ei waethaf, a diolch am baradwys felly, ddwedaf i, mewn byd mor llawn o ffwdan a stormydd. Ond mae'r hen long yn perthyn i fyd y ffwdan, a phan fyddwn ni yng nghanol gwlad Hud a Lledrith, daw sain aflafar y gloch gychwyn i dorri ar fiwsig y Tylwyth Teg, a chydag ochenaid o hiraeth y trown gefn ar y Mynydd Gwyn a'r Ynys Werdd, gan deimlo ein bod yn gorfod disgyn o ryw uchelderau dedwydd i ganol tryblith bywyd unwaith eto; teimlir hynny'n fwy, hwyrach, am fod y llong mor ddu ac mor anrhefnus wedi goruchwyliaeth y llwytho. Ond bechgyn glew am sgrwbio yw'r llongwyr, a buan y daw glendid a threfn i deyrnasu, a cheir hamdden i wylio'r ynysoedd hynafol yn diflannu yn y gorwel draw, fel morwynig yn huno ar fron y môr.

Môr, Môr i Mi

Dyma ni yn awr, yn gwynebu'r eigion o ddifrif; cawn ddyddiau lawer o fôr di-lan, a deuwn i deimlo'n berffaith gartrefol ar yr eangderau braf. Doedd ryfedd fod morwyr Columbus ers llawer dydd yn teimlo nad oedd terfyn i fod i fôr fel hwn, ac y gallent hwylio hyd tragwyddoldeb heb weld glan.

Fel yr hoffwn i bawb gael teimlo cyfaredd y môr, yn enwedig ar noson lawn lloer yng nghyffiniau cyhydedd y ddeufyd; cilio i ryw gongl dywyll unig a gwylio mewn syndod a pharchedig ofn; mae yna ryw swyn yn y lloer a'r haul ar y llydan fôr na theimlir yn unman arall – mae'r cylchynion i gyd mor gydnaws rywsut, nes bod yr enaid yn dod i well cytgordiad â'r dwyfol, a'r llygaid megis yn agor i wynfydau'r Baradwys draw; aiff y bywyd bach beunyddiol yn llai nag y bu erioed, a chwyd hiraeth dwys am rywbeth uwch a phurach, ac o fyfyrio'n hir mewn dyhead cywir daw tangnefedd a dedwyddwch nas edwyn y byd mohono. Dacw'r lleuad yn codi yn belen o dân ysol o'r dyfnderau diwaelod, ac wrth ddringo i'r entrych yn dotio at ei llun yng nghrisial y môr, ac yn taenu'r byd â'i golau gwyl, breuddwydiol, a holl alluoedd yr wybren serog yn brysio i dalu teyrnged i frenhines mor ogoneddus; mae'r môr fel arian byw, ond yn troi'n fflachiadau trydan gylch yr agerlong gan rym y gwrthdrawiad. Llawer awr ddedwydd dreuliais ar ben blaen y llong, mewn perygl bywyd lawer gwaith, gan angerddoldeb fy awydd i weld yr ewyn berwedig yn troi'n dân, ac yn gwibio fel glöyn byw symudliw.

Mae'r pysgod yn dechrau hedeg fel y nesawn at y cyhydedd; ni fuasai pysgod rhadlon, tawel, yn ymfodloni ar dywyllwch y dyfnder, yn taro yng ngwlad yr haul – plant yr haul yw pawb a phopeth wedi croesi'r *line*. Mae goleuadau twyllodrus y llongau yn peri cryn flinder i'r pysgod diniwed, a syrthiant yn gawodydd ar y dec ambell noson, fel soflieir yn anialwch yr henfyd; maent fel cawod o berlau, mor llyfn a disglair eu cyrff ac mor aflonydd â dail yr aethnen; prif waith y teithwyr yw ceisio achub yr ymwelwyr bychain prydferth rhag gwanc y llongwyr barus. Mae llongau o bob rhan o'r byd yn cwrdd ar Fôr Iwerydd, a chywrain iawn yw iaith y baneri; fe'u gwelir yn gwibio i fyny'r hwylbrenni, hanner dwsin gyda'i gilydd weithiau yn wahanol liwiau, a phob baner yn dweud ei stori yn ôl ei lliw. Ceir ambell stori gynhyrfus gan longau hwyliau fydd wedi bod yn disgwyl am wynt teg am ddau fis, a'r bwyd a'r dŵr wedi rhedeg yn brin, a bydd raid cardota ar ganol y môr; clywir peiriannau'r agerlong fawr yn arafu, daw hwyliau gwynion y fechan i lawr, a than law gelfydd y llongwr, dacw gwch bychan yn cael ei ollwng i lawr – edrych fel gwybedyn ar y cefnfor llydan, ond mae'r hen fôr yn dringar iawn ohono. Mae'r fawr yn rhoi yn hael i'r fechan, fel y dylai, a bydd diolchiadau a chwifio baneri ffarwél a dymuno Duw yn rhwydd, ac yna, wele bawb yn ôl at ei orchwyl.

Diogi yw gorchwyl pennaf pob teithiwr ar y cyhydedd; gwneir ymdrechion gorchestol gan rai i fod yn ddiwyd gyda'u bysedd, traed, neu dafod, ond gynted y daw'r haul o'i wely efe fydd brenin y dydd, a deiliaid gwylaidd iawn fyddwn tra ceidw'r teyrn ei lygad disglair arnom. Mae'r hen fôr hefyd o dan yr un gyfaredd; mae'r tonnau cynddeiriog fu'n gwneud gwawd o'r llong a'r llwyth wedi dofi ac ymdawelu, ac ni all yr awel ysgafn sy'n suoganu rhwng y rhaffau godi crych ar lyfn wyneb yr hen eigion diog, mae wedi gorfod cau ei amrannau a mynd i gysgu mewn tangnefedd. Dyma ymerodraeth yr haul, ac mae disgleirdeb y llys mor llachar nes gwyleiddio pawb a phopeth. Bydd llong ambell brynhawn wrth deithio'n esmwyth-ysgafn yn aflonyddu ar gyntun y *porpoise*, a ddaw i fyny o'i nyth dyfrllyd i edrych ar y weledigaeth ryfedd ac i synnu at feiddgarwch yr anghenfil trwsgl yn gwneud cymaint sŵn mewn bro mor dawel. Bydd rhyw ugain neu ddeugain o'r

porpoise gyda'i gilydd y rhan amlaf, a bydd eu gweld yn ddigon
i ddeffro llond llong o deithwyr diog i'r bywiogrwydd mwyaf,
a'u gyrru i bangfeydd o chwerthin iachus: mae yna ryw
hurtwch annisgrifiadwy ar wyneb y *porpoise* sy'n goglais y
reddf ddigrifol ymhob calon ac ni chyfarfûm â theithiwr erioed
allai wrthsefyll yr haint.

Fel y nesawn at Ynys Fernando Norhona daw'r gwylanod ar
ymweliad; dyma ffyddloniaid y môr a chenhadon y tir. Mae
clywed eu cri cynhyrfus drwy ffenestr fach y caban wedi sirioli
miloedd o galonnau erioed, canys yr hyn oedd deilen werdd
golomen i breswylwyr yr arch yw'r wylan i deithwyr y môr,
cyhoeddi 'glan gerllaw' yw ei neges ar hyd y canrifoedd.

Tebyg na fu bardd Cymreig erioed mor hapus yn ei
ddisgrifiad o'r wylan â'r anfarwol Talhaiarn. Clywais adrodd y
penillion unwaith gan un oedd yn deall y bardd a'r wylan:
berffeithied oedd yr adroddiad nes y gwelwn y tonnau mân yn
torri dan edyn y wylan, a hithau'n mynd o don i don fel pelydr
gwyn ar fron yr eigion.

Clywch *un* pennill, dysgwch y gweddill:

> Llawenydd a gaf o hyd
> Yn swyn awelon yr haf,
> A'r gwynt yn siglo fy nghrud,
> A'r haul yn tywynnu'n braf;
> Myfi yw Banon y lli,
> Mae 'ngorsedd yn eang a llaith;
> Pleserus a melys i mi
> Yw rhyddid y moroedd maith;
> Yn fwyn a dedwydd fy mron
> Yr af i fyny ac i lawr,
> Wrth nofio o don i don
> Hyd wyneb yr eigion mawr.

Gwir oedd neges y wylan canys gyda'r hwyrddydd daeth
gwaedd o ben yr hwylbren – 'Tir ahoi!' – ac er nad oedd ond
llygaid eryraidd y llongwr yn abl i weld dim ond niwl ar y
gorwel pell, eto nid amheuodd neb, ond daliai pawb i syllu i
gyfeiriad y cwmwl annelwig, gan wybod drwy hir brofiad y

deuai ffurf ac osgo o'r gwyll aneglur; a phan oedd yr haul yn parotoi ei gwrlid yn y gorllewin, wele'r ynys yn ymgodi o'r dyfnder, ac er nad oedd ond yn fechan, a'r creigiau moel yn edrych yn ddigon cuchiog a bygythiol, eto, syllai pob llygad arni mewn hoffter, canys dyma'r tir cyntaf welwyd ers deuddeng niwrnod.

Ynys berthynol i Frasil yw Fernando Norhona, ac mae'r defnydd wneir ohoni yn llanw pob calon ystyriol â phrudd-der, canys dyma gartref llofruddion, lladron a drwgweithredwyr Brasil gyfoethog; yma y gweithiant allan eu penyd-wasanaeth, mewn ynys fechan yn nghanol Môr Iwerydd. Nid yw'r ynys yn ffrwythlon iawn oddigerth ambell lecyn; mae golwg ysgythrog ar rai o'r clogwyni, ond mae'r llechweddau'n wyrdd, ac mewn cilfachau cysgodol tyf coed banana mewn cyflawnder; mae'r tai wedi eu hadeiladu blith draphlith fel nythod gwylanod ac wedi eu lliwio yn ôl chwaeth y preswylwyr. Mae'n ddarlun tlws iawn i edrych arno oddi ar ddec y llong: gresyn na fuasai eneidiau'r trigolion dlysed a phured; ond yn sicr nid drwy alltudiaeth greulon fel hyn y mae gwella a dyrchafu dynoliaeth. Bryd y daw Galluoedd Cristionogol i wneud deddfau teilwng o'u proffes, tybed?

Ar uchaf y graig mae Arsyllfa, ac mae'r gwylwyr wedi ein gweld ers amser, a dacw'r baneri'n dechrau chwifio, ninnau'n ateb o ben yr hwylbren, byddant wedi dweud stori hir mewn ychydig eiliadau; mae rhywbeth yn hyfryd iawn yn y syniad y bydd cyfeillion ac anwyliaid ym Mhrydain Fawr yn darllen ein hanes yn y papur newydd fore trannoeth, ac yn cael sicrwydd ein bod wedi cyrraedd arfordir Brasil mewn diogelwch ac iechyd. Mor wyrthiol yw'r wifren fach sy'n cydio cyfandiroedd wrth ei gilydd.

Cartre'r Tylwyth Teg

Bu'r gwynt a'r môr yn dadlau tipyn heno, ac fel y poethent i'r gwaith bu cryn hafoc ymysg y teithwyr, canys adar hindda oedd y rhan fwyaf ohonynt. Rhyw ruo'n anfoddog roedd yr hen fôr, fel pe'n gwrthdystio yn erbyn torri ar dangnefedd ei gyntun, ond dal i chwipio roedd y gwynt, a buan y gwelwyd gwrychyn yr eigion yn codi, a chafwyd brwydr ffyrnig; digiodd y lloer a'r sêr, a gwrthodasant roi golau eu presenoldeb ar gaseg ymrafael, ac felly gorfodwyd y ddwy elfen i'w hymladd hi allan mewn tywyllwch Eifftaidd.

Ond yng nghanol ysgrechiadau gwynt a chynddaredd y tonnau clywir gwaedd glir y gwyliwr: 'Light ahead!' Os oedd y ffurfafen serog wedi tynnu'r llen i lawr, a gadael y llong ar drugaredd yr elfennau, nid felly'r gwyliwr yn y goleudy pell – dyma un o'i nosweithiau mawr ef – ac er gwybod fod holl offer y goleudy yn gweithio'n llyfn-reolaidd, a bod y rhybudd tanllyd yn fflachio drwy'r gwyll a'r storm, eto, ni all orffwys, ac ni ddaw hun yn agos i'w amrannau. Teimla fod bywydau miloedd o'i gyd-ddynion megis yng nghledr ei law; mae wedi gweld golygfeydd ofnadwy ar y creigiau bradwrus er pob gofal a darpar, a gŵyr y gall yr unrhyw drychineb ddigwydd eto, ac am hynny mae'n barod ac effro i gwrdd â'r gwaethaf.

Rhyw gymysg deimladau enynnir gan olwg ar oleudy yn y nos. Mae'r golau'n cyhoeddi perygl, ond ar un fflach yn sicrhau diogelwch tra byddo llyw y llong o dan reolaeth; ni all dyfais dyn fynd ddim ymhellach – unwaith y caiff y storm y llong at ei thrugaredd does ond Meistr y storm all ei llywio wedyn.

Sionc iawn fu'r llong drwy'r nos, ac felly bopeth y tu mewn iddi: cafwyd hwyl fawr ymysg y llestri, a chafodd aml deithiwr noson brysur ar helfa wyllt ar ôl ei eiddo, a phan wedi setlo i lawr yn weddol gysurus ar wastad cefn, gan feddwl cael gorffwys ennyd, câi'r hen long y fath ergyd lawchwith gan ryw don orffwyllog nes y byddai'n rhaid wrth gryn dipyn o nerth a chyfrwystra i beidio gwneud taith tua'r llawr.

Hawdd adnabod y teithwyr wrth eu sŵn ar noson fel hon, rhai'n griddfan ac yn ochain, rhai'n fud ddychrynedig, rhai'n ddwys ddefosiynol, eraill fel pe mewn cynghrair â'r elfennau, ac wedi yfed yn helaeth o ysbryd y gwrthryfel, ac yn mwynhau eu hunain i berffeithrwydd, gan dorri allan mewn bonllefau o chwerthin iachus am ystranciau'r llong a'i chelfi. Rhyw awydd i uno'r cwmni hwn fydd arnaf innau hefyd; mae rhyw wefr mewn storm sy'n cerdded drwy'm natur fel arian byw, 'a'm calon yn llamu i'w llef' – pawb at ei chwaeth, ynte? – a phob natur i siarad yn ei chyweirnod ei hun. Rhyfedd i Frasil roi croeso mor arw, ond gwlad yr eithafion yw hi, a chartre'r Tylwyth Teg, ac felly does wiw ryfeddu at ddim all ddigwydd tu hwnt i'w therfynau.

Mae llawenydd mawr ymysg y teithwyr drannoeth y storm wrth feddwl fod gobaith am gael troed ar dir wedi cymaint môr, ac nid rhywbeth cyffredin yw cael troedio daear Brasil. Rwy'n credu'n ddiysgog mai oddi yma yr hanodd holl Dylwyth Teg y byd; i rywun sydd wedi bod dan ddylanwad gyfareddol y wlad nid yw straeon y Tylwyth Teg yn bethau anhygoel o gwbl – gellid ysgrifennu cyfrolau amdanynt, a'r rheiny'n wir bob gair.

Ni chawsom alw ym mhorthladd Pernambuco, ond gwelsom lu o rafftiau'r pysgotwyr, dim ond rhyw bedair neu bump coeden weddol braff wedi eu cyplu, a thipyn o hwyl wedi ei chodi ar y pen blaen; nodded go fregus rhag rhyferthwy tonnau'r arfordir, ond edrych y pysgotwr du yn gartrefol iawn, ac os gyr ambell don ef dros ymyl ei gwch ni phair hynny fawr anghysur iddo, mae'r dŵr yn gynnes braf, ac ni edrych y *shark* barus ar ei groen du.

Er teithio cyflymed ag y gallai ager ein gyrru, ni chyrhaeddwyd y fynedfa i borthladd Rio de Janeiro erbyn machlud haul, ac felly bu raid angori y tu allan, gan fod cyfreithiau'r wlad yn gwahardd i'r un llong basio i mewn wedi machlud haul; nid yw'r Sbaenwr na'r Portiwgead yn credu dim mewn gweithio ar ôl i'r haul fynd i'w wely.

Ychydig o gysgu fu ar y llong heno, yr oedd hudoliaeth y cylchynion yn dechrau effeithio arnom. Er bod y fynedfa yn filltir o led, eto mae'r mynyddoedd o'r ddeutu mor uchel ac ysgythrog fel yr edrych yn gyfyng iawn. Mae'r goleuadau afrifed a'n cylchyna yn gwneud i un amau nad y sêr sydd wedi gostwng pen am ennyd, ond na, maent hwy yn eu bro gynefin, ac yn ddisgleiriach nag y buont erioed; mae'r môr mewn cynghrair heno hefyd, ac yn ddigon llyfn ei wyneb i adlewyrchu'r wybren serog uwchben – mae'r llygaid yn dallu wrth syllu ar gymaint goleuni, ac mae distawrwydd hudol nos y cyhydedd yn suddo'n ddwfn i'r galon sydd mewn tiwn.

Gwyliodd rhai ohonom drwy'r nos er mwyn gweld y wawr yn torri ar fynyddoedd Brasil – y sêr yn cilio, y goleuadau'n diffodd o un i un, y môr yn colli ei lesni ac yn graddol dywyllu; mor huawdl yw'r gwyll o flaen gwawr! Dim ond yr Arlunydd mawr ei hun allasai gynllunio *contrast* mor effeithiol.

Ond, dacw deyrn y dydd yn dechrau danfon allan ei genhadon – pwy fu yn eu gwisgo? Mae mentyll aur gan rai ohonynt, eraill mewn porffor ac ysgarlad gydag ymylwe o berlau: ambell forwynig mewn gwyn eiraog, a'i gwisg hirllaes yn troelli'n ddillyn gylch ei sandalau. Welodd llygaid dynol ddim harddach erioed na gosgorddlu'r wawr. Maent wedi eu cenhadu i gymryd meddiant o bob mynydd, clogwyn a bryn; gosod llynges ar y môr a meddiannu'r coedwigoedd a'r dyffrynnoedd, fel y byddo'r byd yn barod i dderbyn y brenin yn ei holl ogoniant.

Dyma'r darlun gogoneddusaf geir o'r hen ddaear: nid oes frycheuyn i'w weld, mae'r gosgorddlu gyda'u mentyll amryliw wedi cuddio pob hagrwch, mae rhyw wawl esmwyth-dyner ar bob peth nas gwelir fyth ond ar doriad gwawr.

Ond, fel fflach mellten, dacw'r brenin ar ei orsedd! Yn y

Gorllewinfyd ni phetrusa eiliad parthed ei hawl i'r orsedd – llama i'w le a buddugoliaeth ar ei ael; gellid meddwl fod y gynnau duon sy'n gwylio'r porth wedi bod yn disgwyl am y brenin hefyd, canys nid cynt y gwna ei ymddangosiad nag y clywir taranau o gymeradwyaeth o enau pob magnel, nes bod y creigiau cylchynol yn diasbedain, a chyn i'r eco ddistewi gwelir cannoedd o faneri yn cwhwfan o ben hwylbrenni – pob llong yn chwifio baner ei gwlad ei hun, eithr os bydd foneddigaidd cydnebydd faner y Weriniaeth hefyd.

Mae'n brysurdeb mawr ar ein llong arbennig ni erbyn hyn, ac mae yna ddyn melynddu ar y bont, a botymau melyn ar ei gôb, a chleddyf gloyw wrth ei glun, ac mae'n gweiddi ar uchaf ei lais, ac yn gwneud ystumiau ofnadwy ar ei gorffyn bychan fel pe buasai'r llong ar dân. Ond y peilot ydyw, a dyma ddull y Portiwgeiaid o lywio llong i mewn i'r porthladd; mae'r llongwr Prydeinig drwy hir arfer yn ei ddeall i'r dim, ond mae yna wên yng nghil llygad ambell un wrth ufuddhau i orchmynion y gŵr bychan aflonydd. Huawdl o gorff a thafod yw'r Lladinwr, a rhyw wenu'n dosturiol-ddirmygus y bydd y Sacson swrthlonydd fel ci Newfoundland yn gwylio pranciau *ffansi-dog*!

Ond nid yw'r sbarblin swyddog yn gwneud mwy o sŵn na'r teithwyr, canys erbyn hyn mae'r llong wedi pasio'r creigiau bygythiol yn ddiogel, ac yn teithio mewn rhwysg i'w hangorfa ym mhorthladd dihafal Rio, ac fel yr egyr y bae yn ei holl ogoniannau o'n blaenau mae'r brwdfrydedd yn cynyddu ac yn codi, a'r ansoddeiriau yn amlhau nes y mae'n ffair wyllt.

Anodd gennyf gredu y gall neb syllu ar Fae Rio am y tro cyntaf heb deimlo tannau calon yn tynhau, ac er i'r ansoddeiriau fod yn brin i gyfleu'r edmygedd, gellir dweud amen gyda'r rhai sy'n abl i'w tywallt yn ffrydlif.

Mae'r bae yn ddeng milltir ar hugain o led, ac wedi ei lwyr amgylchu â mynyddoedd cribog, ac ynddo gannoedd o fân ynysoedd, a phob un yn cynnwys tai a gerddi; ond anodd fuasai darganfod dau dŷ yn unffurf unlliw ar yr holl ynysoedd.

Mae amryw ohonynt ar ffurf cestyll, a'u tyrrau fel pe'n codi o'r dyfnder; a draw ar y chwith dacw'r ddinas fawr orwych, a'r Corco Vada yn yr uchelderau fry yn gwylio'r môr di-lan a'r coedwigoedd diderfyn; gymaint o gyfrinachau sydd ganddo ynghadw wedi oesoedd o ddyfal wylio.

Gallai ddweud llawer o hanes Garibaldi wrthym – arwr ac anwylun yr Eidal. Bu'n cyniwair coedwigoedd tywyll Brasil am flynyddoedd; bu'n dringo copâu'r mynyddoedd gan syllu mewn hiraeth ar y llongau deithient tuag adref, a'i enaid mawr yn cynllunio sut i ryddhau ei famwlad o'i blin gaethiwed; bu'n helpu brodorion Brasil i dorri iau'r estron, ac yn dysgu rhyfela ar feirch gwyllt yr Indiaid, a thrin y bwa a'r waywffon; ac yma y gwelodd ei Anita – un o'r Tylwyth Teg oedd hi – ac er i Garibaldi herio miloedd ar feysydd gwaedlyd yr Eidal bell wedi hyn, denodd Anita ef i'w chylch cyfrin â gwefr ei llygaid ac â miwsig ei llais, a phlygodd y pen aurfelyn yn ufudd i'w hawdurdod, ac nid oedd neb deilynged â hi i dderbyn ufudd-dod y gwron byd-enwog – pwy ddioddefasai gymaint er ei fwyn? A phwy aberthasai ei bywyd sirioled?

Dysgodd Garibaldi wersi ym Mrasil fu o werth amhrisiadwy iddo ym mrwydrau mawr ei fywyd, ond Anita oedd ei goronrodd, a dylasai'r Eidal godi cofgolofn iddi ar uchaf frig y Corco Vada; nid yr un fuasai hanes eilun yr Eidal oni bai am ddylanwad Anita. Gallesid ysgrifennu llyfr angerddol ddiddorol ar deithiau a gwrhydri Garibaldi yn Ne America.

Rwyf wedi rhyfeddu lawer gwaith na fuasai athrylith rhyw arlunydd Eidalaidd wedi ei danio gan y disgrifiad o'r llong fechan honno'n cychwyn o ddinas Monte Video yn y flwyddyn 1848: y *Speranza*, a'i llwyth o Eidalwyr alltud yn dychwel i'w gwlad, a'u calonnau yn dychlamu wrth feddwl am gael un cyfle arall i daro ergyd dros ryddid a chyfiawnder.

Nid yw'r llong ond bregus, a Môr Iwerydd yn llydan a bradwrus, ond teithiant ymlaen o ddydd i ddydd ac o wythnos i wythnos mewn llawn hyder ffydd, a phob min nos pan giliai'r haul dros y gorwel ymgynullai'r cwmni bychan ar y dec, gan ddiosg bawb ei ben a chanu emyn gwladgarol, a dymuno nodded nef dros yr Eidal a thros bawb a'i carai, ac fel cloch arian mysg lleisiau'r côr clywid seiniau clir cyfoethog Gwaredwr yr Eidal!

Oni ddywedais mai dyma deyrnas y Tylwyth Teg? Gwelwch fel yr hudasant fi i grwydro eu llwybrau cyfareddol yn lle gwylio'r cychod sy'n amgylchu'r llong, a threio dod i delerau ag un o'r cychwyr duon sy'n bloeddio rhinweddau eu cychod mewn iaith na ddeellid hyd yn oed gan dylwyth teg.

Pan ar fentro'n bywyd i un ohonynt, cawsom newydd da odiaeth gan bennaeth y llong: ein bod i gael diwrnod a noson ar dir Brasil. Dyma wynfyd! Faint o wrhydri wnawn cyn dychwelyd? A phwy gaiff fwyaf o fwyniant? Fe gafodd cwmni bychan ohonom ddrychfeddwl newydd sbon, a bu canlyniadau mawr a rhyfedd!

Ond stori arall yw honno.

PENNOD VIII

Tijuca

Wedi i'r cwch gyrraedd i'r lan, ac i ninnau gael teimlo daear dan draed, cawsom bwyllgor cyffredinol i benderfynu'r dull gorau o ddathlu ein gwyliau, er mai cryn orchest oedd clywed naill y llall yn siarad gan gymaint y dadwrdd o'n cylch.

Wedi peth petruster cytunodd pump ohonom i beidio aros yn y ddinas, ond gwneud taith i Tijuca, a threulio noson yn y goedwig; gwyddem fod Tijuca yn un o'r mannau mwyaf rhamantus yn yr holl Brasil ac nad oedd ond taith ychydig oriau o Rio.

Gadawsom y gweddill o'n cyd-deithwyr ar drugaredd y genfaint arweinwyr oedd yn bygwth eu gyrru'n ynfyd os na lwyddent i ddeall ei gilydd cyn hir.

Yn ffodus, yr oedd gennym ni arweinydd ymysg y cwmni, a gwyddai ble i gael cerbyd i gychwyn y daith, canys nid oedd na thrên na thram yn mynd i Tijuca, a dyna un o'i swynion pennaf i ni. Ond! Ie, hen air bach cas yw hwn, eithr ni cheir rhosyn heb fieri. Wedi cerdded amryw o'r heolydd a gweld rhyfeddodau ar bob llaw, daethom o hyd i'r *cerbyd*! Ym mha oes y'i gwnaethpwyd, does ond dyfalu; oni bai fod olwynion dano gwnaethai gar llusg campus i ryw ffarmwr a'i wair ar lethr go uchel, ond edrychai'n bur rwysgfawr er ei henaint, canys yr oedd chwech o fulod wedi eu cyplu wrtho: gyrrwr melynddu ar ei sedd mewn gwisg glaerwen, chwip wedi ei haddurno â rubanau, ac yn ddigon hir i gyrraedd pen crych yr 'hogyn gyrru'r wedd' eisteddai'n dalog ar gefn y mul cyntaf. Sicrhâi y gyrrwr ni fod y cerbyd yn berffaith ddiogel, ac mor esmwyth â chwch ar lyn. Er nad oeddem yn credu yr un gair o'i bregeth, eto, gan mai anturiaethwyr oeddem, teimlem ein bod yn dechrau yn odidog ragorol. Fyny â ni mewn llawn hwyl, gan osod ein hunain ddiogeled ag oedd modd; un chwifiad i'r chwip, un waedd fuddugoliaethus gan y gyrrwr bach a'r gyrrwr mawr, a dyna ni i ffwrdd fel corwynt.

Ond gan mai dringo oedd y rhaglen am un i ddwy awr, buan yr arafodd y mulod cyfrwysgall; yr oeddem ninnau yn unfryd unfarn mai dyma'r dull hapusaf o deithio, gan fod cymaint o waith syllu ac edmygu po bellaf y treiddiem i'r coedwigoedd; cofiem fod yr haul crasboeth yn tywallt ei belydrau ar heolydd y ddinas erbyn hyn, tra ninnau mewn rhyw gyfnos hudol; coed a blodau, *creepers* a rhedyn yn y fath gyfoeth diderfyn a di-ddisgrifiad fel na feiddiem ond sisial siarad, gan deimlo er ein gwaethaf fod yna ryw gysegredigrwydd mewn bro freintiwyd â'r fath gyfoeth o brydferthwch. Aurfelyn a phorffor oedd y lliwiau mwyaf cyffredin ar flodau'r coed, ond yr oedd y *creepers* gerddent frigau'r wig gan blethu blodau a dail blith draphlith, tu hwnt i bob dychymyg na disgrifiad. Dim ond drwy'r nen ddeiliog yma y caffem ambell gip ar yr wybren las uwchben, ond dihangai pelydryn o heulwen weithiau drwy'r werdd-we bêr, gan ddisgyn ar goeden mimosa oedd eisoes dan ei choron.

Fel y daliem i ddringo deuai'r porthladd a'r ddinas yn amlycach, pan gaffem lecyn gweddol ddi-goed; anodd credu fod golygfa harddach a mwy amrywiol i'w chael mewn byd.

Rhyfedd oedd gweld ambell graig yn codi ei phen moel o ganol y glesni, ac olion y bysedd iâ yn rhychau dwfn ar ei hwyneb; anodd dychmygu y Brasil crasboeth yng ngafaelion brenin yr iâ, ond prawf gwyddonwyr a daearegwyr mai stori wir yw stori'r graig, ac mai drwy chwyldroadau aruthrol yr enillodd y Weriniaeth fawr ei thir a'i thegwch.

Wedi cyrraedd i gopa'r ucheldir, troellai'r llwybr ar i lawr, ac nid cynt y cychwynasom ar i waered nag y meddiannwyd y gyrrwr a'r mulod â'r brys mwyaf. Chwyrnellem gylch corneli gyda'r fath sydynrwydd nes bod mewn perygl bywyd bob munud, gwibiai pob gwrthrych heibio fel fflachiad mellten, a thrwy ymdrechion gorchestol y llwyddem i gadw'n seddau.

Gwrthdystiem yn huawdl yn erbyn y dull yma o deithio a cheisiem ymresymu â'r gyrrwr, ond ni wnâi ond dangos rhes o ddannedd gwynion a chwhwfan ei chwip gylch clustiau'r mulod. I lawr yr aem yn bendramwnwgl, gan osgoi ambell gornel megis o wyrth; ond yr oedd yn hawdd gweld fod y mulod bychain chwareus yn mwynhau'r sbri yn ardderchog, ac am y crwt bach ar y blaen, roedd ef mewn afiaith ac yn wên o glust i glust.

Ond yn sydyn, heb eiliad o rybudd, dyma dynnu'n dynn yn yr awenau, a phob mul yn sefyll mewn amrantiad fel pe wedi ei barlysu, a ninnau'r teithwyr yn un swp cryno ar waelod y cerbyd ac yn credu'n sicr fod y diwedd wedi dod. Wedi ymddatrys o'r tryblith, gwelem y gyrrwr yn neidio i lawr, yn tynnu ei het gyda chwifiad urddasol ac yn moesymgrymu cystal â'r un dandi ar heolydd Paris: 'Foneddigion, dyma westy Tijuca, mae'r cyfan ynddo at eich gwasanaeth.'

Gyflymed y teithiasom y rhan olaf o'r daith nes y methem sylweddoli am funud ein bod mewn gwirionedd wedi cyrraedd yn fyw a'n hesgyrn yn gyfain, ond na feddylied neb nad oedd nodau'r daith ar bob un ohonom.

Ond anghofiwyd y cyfan yn y fan; nid oes blinder na dichell yn bosibl mewn bro fel hon. Ni ddaeth gwres y cyhydedd erioed i sychu ei nentydd nac i grino ireidd-dra y dail; ni ddaeth y deheuwynt miniog i wywo'r un blodyn nac i wyro pen yr un balmwydden frigog: dyma wlad yr haf tragwyddol. Mae'r coedwigoedd a'n cylchyna yn ymestyn am gannoedd o filltiroedd di-doriad; mae yna afonydd llydain yn teithio'n araf-ddistaw drwyddynt, a llynnoedd llonydd yn hepian danynt; mae yna gannoedd a miloedd o hen frodorion syml yn byw'n ddedwydd a diddos o dan deyrnasiad natur; ni welsant nemor ddyn gwyn erioed ac ni wyddant ddim am y dinasoedd mawr poblog ar lannau'r moroedd. Nid yw berw'r byd yn poeni'r brodor; llunia'i gwch o'r boncyff praff, a phletha'i fwthyn o'r brigau, plyga'i fwa o'r cangau ir a nâdd ei saeth o'r pren a fyn.

Mae'r llynnoedd yn llawn pysgod, a'r wig yn llawn helwriaeth, a phlyg y coed dan bwys eu ffrwythau aeddfed – wynfyd y brodor, onide? Beth ddaw ohono, tybed, pan dreiddia'r dyn gwyn i'w baradwys gyda'i beiriannau a'i wareiddiad a'i ddiod ddamniol? Gobeithio y caiff lechu'n hir yn ei gartref glân, ac y bydd y dyn gwyn wedi gwareiddio digon erbyn hynny i'w garu a'i barchu fel cyd-ddyn, ac nid i'w hela fel anifail rheibus.

Syrthiais dan gyfaredd y goedwig, ac euthum i grwydro fel arfer, ond nid oedd yn bosibl meddwl am bethau bychain cyffredin gyda'r fath eangderau distaw o'n cylch, a than ryw hanner breuddwydio yr euthum i mewn i'r hen westy syml, braf, heb un ymgais i'w addurno ond gofalu fod y lloriau priddfeini yn syber a'r muriau yn wyn a glân, a bod pob drws a ffenestr o led y pen fel y gellid manteisio ar bob awel o wynt ddigwyddai ddod ar wib.

O dan *veranda* lydan gylchynai'r gwesty yr oedd byrddau a chadeiriau esmwyth; nid oedd dim o waith coed y *veranda* i'w weld gan ddyfaled fu arlunydd natur yn gweithio: oriel arbennig i'r ymwelwyr oedd hon tra'n mwynhau byrbryd blasus o ffrwythau'r wlad wedi blinder ac anturiaethau'r daith.

Nid oedd fawr awydd siarad ar neb ohonom; ac yr oedd y ddau was du yn eu dillad claerwyn a'u sandalau esmwyth yn gweini arnom mor ddeheuig a di-sŵn fel yr oeddynt yn ffitio i mewn i'r darlun yn ardderchog.

O! na fyddai modd i ieuenctid ein dinasoedd mawrion gael eu gollwng yn rhydd am ychydig wythnosau i goedwigoedd fel hyn, ac yn y distawrwydd a'r mawredd ofnadwy i *ddeall* unwaith ac am byth beth yw bywyd mewn gwirionedd, a sut y dylid byw mewn byd mor llawn o'r dwyfol. Hardded y lluniwyd ein daear; ddyfaled fu'r Meddwl anfeidrol fel na fyddai dim yn ôl i wneud y baradwys yn berffaith mewn ceinder a phurdeb.

Ond erbyn heddiw, nid oes ond ambell fangre fel hon nad yw llaw halog dynoliaeth syrthiedig wedi ei hanurddo a'i llychwino. Mae'r golled a'r trueni o'r cyfan yn dod adre' gyda grym ysgubol weithiau, ac yn ysgwyd eneidiau i'w sylfeini, ac 'wele gwnaethpwyd pob peth o'r newydd,' ac aeth bywyd a'i holl gysylltiadau yn gysegredig a sanctaidd fyth mwy.

Rhyw synfyfyrio'n ddwys fel hyn yr oeddem, bob un yn ei gadair, gan syllu gyda llygaid gloyw ar ysblander yr olygfa, a mwynhau'r peraroglau na freuddwydiodd yr un apothecari erioed am eu tebyg, a gwylio cysgod y cyfnos yn graddol ledu dros y darlun, fel y nesâi'r haul i'r gorllewin draw. Ymgynullai'r adar yn eu gwisgoedd dieithr a gwych yn fân gwmnïau i byncio eu hwyrol anthem cyn gwasgar ohonynt i'w nythod a'u clwydi hyd doriad gwawr y dydd newydd. Araf ddistawodd pob sŵn cyffredin – ond nid yw'r goedwig fyth yn ddistaw hyd yn oed yn oriau tywyllaf y nos: dyma'r miwsig mwyaf swynol glywodd clust erioed – cân y goedwig yn y nos, eithr nid yw fyth yn canu ond i'w phlant.

Pan na fydd seren yn y nen mae'r goedwig yn orlawn o sêr gwibiog, llachar; cawsom olwg fythgofiadwy ar y rhain: y pryfed tân sydd mor nodweddiadol o wledydd y cyhydedd – pwy all ddisgrifio eu disgleirdeb a'u harddwch? Fyrddiynau ar fyrddiynau ohonynt yn gwibio'n ddiorffwys drwy'r coedwigoedd ar noson ddi-loer; mae su eu hedyn yn llanw'r awyrgylch â rhyw ryfedd sain na ellir ei gyffelybu i ddim sydd wybyddus.

Un o gerddorion y nos yw'r *cicada* (math o geiliog rhedyn), a buom yn hir iawn cyn gallu credu fod creadur mor fach yn gallu gwneud cymaint sŵn – rhyw su ddistaw leddf sydd ganddo i ddechrau, ond cwyd yn ei raddfa yn gyflym, ac ar ddiwedd rhyw ugain eiliad ceir chwibaniad clir, croyw, gryfed ag ager-beiriant, ond ei fod yn fil mwy persain. Mae'n anhygoel bron, pan welir y bychan prysur yn ysboncio liw dydd.

Yr oedd pob pistyll a ffrwd yn cyfeilio'n dyner-esmwyth i'r gwahanol gantorion, a'r broga'n croch ruo bâs: a'r llu aneirif o chwilod ac ymlusgiaid pob un yn ddiwyd yn ôl ei reddf ac yn atodi'n hyfryd at y gynghanedd.

Cafwyd oriau euraidd yn gwrando ar gyfrinion natur ac yn suoganu ambell hen emyn fynnai ddod o'r calonnau Cymreig. Pan glywyd y canu yng nghyffiniau'r gegin daeth amryw o'r brodorion duon i swatio'n hapus dan y palmwydd, ac i wrando yn syn-freuddwydiol, a'u llygaid mawr treiddgar yn llawn o hanes dieiriau.

Anodd oedd ymysgwyd o'r fath berlewyg, a chofio fod yn rhaid i'r corff gael gorffwys er i'r enaid ehedeg yn ddiflino drwy'r wynfa dawel.

Dan gyfarwyddiadau gŵr y tŷ, oedd batrwm o foneddwr, cafodd pawb hyd i'w gell: ystafelloedd bychain gwyngalchog, diddodrefn, gyda'u lloriau priddfeini a'u ffenestri mawr yn agor i'r *veranda*, edrychent yn ddieithr i dramoriaid, eithr i ba ddiben adeiladu ystafelloedd gwychion tra pawb yn byw ym mhalas natur. Nid oes neb yn defnyddio'r tai ond yn y nos, a pho brinned y dodrefn, iached y tŷ. Nid oes neb yn breuddwydio am gau'r ffenestri ym Mrasil, ond pan fo'r gwynt yn bygwth mynd â'r to ymaith; felly nid rhyw lawer o newid gafwyd o'r gadair i'r gwely, ond fod yn hawddach i ddad-luddedu, gallem wrando'r côr yr un fath yn union, a gwylio ambell seren wenai arnom drwy'r wybren ddeiliog.

Rhwng cwsg ac effro yr oeddem yn ymwybodol fod yna rhyw sŵn rhyfedd yn yr ystafell heblaw y tu allan, ond gwyddem i sicrwydd nad bodau dynol aflonyddent arnom, ond roedd yno brysurdeb mawr, eithr pan oleuem gannwyll i gael golwg ar y gweithwyr, doedd dim na neb i'w weld ond ambell lyffant a'i lygaid mawr crwn yn gofyn ble roedd y dŵr. Aeth y dyfal symud a'r gweithgarwch yn rhan o'n breuddwydion bob yn dipyn, ac ni wyddem pa un ai miwsig y Tylwyth Teg ynteu murmur nentydd glywsom ddiwethaf.

Cafwyd noson o gwsg nas anghofir yn hir, a theimlem wrth ddeffro'r bore fod pob blinder wedi ffoi, a ninnau wedi derbyn yn helaeth o fywyd ac ireidd-dra'r goedwig.

Roedd y *parrots* amryliw yn huawdl gyhoeddi fod y byd wedi deffro, ehedent wrth y cannoedd drwy frigau'r coed fel pe torasai enfys yn ddefnynnau ar y ddaear. Roedd y mwnci yntau'n brysur yn hel ei frecwast ac yn bwydo'r plant, ac yn mynd drwy fil o ystranciau direidus wrth ei orchwyl; bu amryw yn y ffenestr yn dweud bore da, ac yn gofyn ein barn am eu cartref braf. Gwaith araf oedd ymwisgo tra cymaint o ymwelwyr i'n difyrru.

Yn sydyn, dyna gnoc ar y drws, a sŵn storm ynddo, a llais brawychus yn gofyn: 'Ydi'ch 'sgidia chi'n gyfan?' Wel, wir, dyma beth oedd aflonyddwch anfarddonol! Ond gwyddem na fuasai'n cyd-deithiwr yn torri'r gynghanedd mor ddiseremoni oni bai fod yna rywbeth anghyffredin wedi digwydd. Gwnaethom wib am y 'sgidia, ond wchw'r olygfa alaethus! Roedd dau dwll mawr ym mhob un ohonynt, dau dwll crwn, destlus, ac ôl dannedd mân arnynt – *chwilod* – ie, chwilod Brasil, a does ond y sawl a'u gwelodd all sylweddoli eu maint a'u gallu dinistriol ar bob math o nwyddau. Nid oedd gan neb o'r cwmni esgid gyfan y bore arbennig hwnnw, na'r un pâr o fenyg heb ffenestri helaeth ynddynt; ac yr oedd ôl diwydrwydd mawr ar bob dilledyn sidan ddigwyddai fod ymysg ein heiddo.

Clywid bloeddiadau o chwerthin ac ochneidiau am yn ail o'r gwahanol ystafelloedd fel y delai'r naill alanas ar ôl y llall i'r amlwg: ond coron ein darganfyddiadau oedd y tun te gludwyd gyda chymaint gofal o'r llong, gan gofio nad oedd y Brasilero yn credu dim yn y trwyth hudol – ond wele, gwag oedd: morgrug. 'Edrych ar y morgrugyn, tydi ddiogyn,' buasem wedi edrych i ryw bwrpas pe'n ddeffro, ac ni fuasai raid yfed coffi du Brasil i'n brecwast. Ond cafwyd hwyl fawr gyda'r pryd bwyd hwnnw, a phob un yn dangos ei addurniadau ac yn addo cadw'r creiriau yn ddiogel er cof am y '*bichos*', canys dyna'r enw rydd y brodorion ar bob peth, o'r estrys i lawr at y *mosquito*.

Roedd gennym ddwy awr o wynfyd o'n blaenau cyn y byddai raid ailgychwyn yn y car llusg, a llanwasom hyd yr ymylon; weithiau dawnsiem mewn nwyfiant gylch coeden *begonia* ryw ddeuddeg troedfedd o uchder, ac yn gwyro ei phen dan ei choron ruddgoch, ac yn fyw o *humming birds*, a phan yn meddwl fod ein llaw wedi disgyn yn fuddugoliaethus ar un ohonynt, ni fyddai ond blodyn pêr rhwng ein bysedd, a'r *humming bird* fel pelydr o oleuni yn hofran uwchben – mae mor amryliw ac mor aflonydd nes dallu'r llygad a chamarwain y llaw.

Bryd arall cael helfa lawn asbri 'rôl glöyn byw symudliw: nid rhyw gorachod bach diaddurn, ond tywysogion yng ngwisgoedd y llys; cawsom ddal un am eiliad a'i roi ar gledr llaw, a'i fesur, yn wyth modfedd o aden i aden! A pheth pe gellid disgrifio lliw ei edyn? Ni fuasai ond fel arlunydd yn ceisio rhoi gwawr ar ganfas.

Cawsom fynd 'nôl i ddyddiau plentyndod am ddwy awr fythgofiadwy; roedd rhywbeth yn heintus yn y cylchynion, rhyw nwyf a bywyd yn goreuro popeth. Roedd rhai o'r coed yn anferthol fawr, a methem beidio â'u dringo er mwyn y gwynfyd o deimlo eu cadernid. Buom yn eistedd ar fin nant yn gwylio'r adar yn 'molchi, ac yn dysgu eu rhai bychain i hedeg a nofio. Prin yr oedd pren yn yr holl goedwig nad oedd ffrwyth neu flodau arno. Ond y goeden mahogani yw brenhines y wig; ni ellir cyffelybu'r blodau i ddim tebycach nac i'r cymylau gwyn-frigog welir weithiau ar nawnddydd tesog; ysgafned ac eiddiled ydynt fel y disgynnant fel cawod wlith ar y cyffyrddiad lleiaf.

Buom yn lledorwedd dan goeden aurafal – gymaint â derwen ym Meirion – ac yn tynnu'r ffrwythau aur i dorri syched. Nid oes neb yn gwybod y filfed ran o wynfyd aurafal ond sydd wedi ei fwynhau yn ei gartref.

Awydd tuchanu oedd arnom oherwydd fod cysgod y car llusg ar ein gwynfa, a'r haul yn teithio ar ei yrfa'n ddidrugaredd, gan ysbeilio ein munudau aur o un i un.

Teimlem nad oeddem ond prin wedi agor cil y drws i drysorfeydd mawr natur, ac mai ymlaen yr oedd y gogoniannau gorau o hyd; breuddwydiem am gychod y brodorion, a rhyfeddodau'r afonydd, a thangnefedd y llynnoedd; ac fel y buasai ychydig fisoedd yng nghartre'r Indiaid yn dyfnhau'n cariad at symlrwydd bywyd, ac yn rhoi inni weledigaeth gliriach ar y dull gorau i ennill eu serch a'u hymddiriedaeth. Rhyfedd cyn lleied wnaed erioed i ddenu anwariaid gwahanol wledydd drwy gariad a thegwch. Tebyg mai William Penn yw'r enghraifft odidocaf feddwn. Tra Indiaid Cochion Gogledd America fel pe wedi meddwi ar waed y dyn gwyn yn eu brwydrau olaf dros gartref a rhyddid, yr oedd Pennsylvania ddiogeled â phe buasai mur o dân o'i hamgylch; yr oedd William Penn a'i ganlynwyr yn gysegredig yng ngolwg pob Indiad, a rhoesant eu bywyd i lawr yn llawen drosto. Beth oedd y gyfrinach? Cristion yn *byw* ei grefydd bob dydd, ac yn credu fod pob enaid yn gydradd gerbron Duw.

Byddai hanes Cyfamod Hedd William Penn gyda'r Indiaid Cochion yn destun stori ogoneddus, a byddai ei ddarllen i blant ysgolion yn foddion i roi iddynt ddelfrydau uwch am fywyd nag a gânt wrth ddilyn hanes brenhinoedd a gorthrymwyr creulon.

Eithr ni chaem ni ond breuddwydio am y pethau hyn, a thaflu golwg hiraethlon i wyll y goedwig dawel, a syllu'n hir i lygaid y blodau, gan geisio argraffu eu tlysni a'u purdeb yn ddwfn ar lechres cof, fel y byddent wrth law i sirioli yn oriau tywyll bywyd.

Synnwn i ddim na wnaed aml gyfamod distaw cyn cefnu ar Tijuca, ac nad ofer fu'r bore yn y wig er byrred oedd. Canys teimlem fod yr amser yn mynd fel gwennol gwehydd, ac y byddai raid gwynebu'r ffordd lychlyd a'r cerbyd afrosgo a'r ddinas drystfawr unwaith eto, ond ymdrechem i gofio mai mawr fu'n braint, ac y dylem wynebu anawsterau a mân ofidiau yn siriolach nag erioed. Oni fyddai'r atgof am y gwynfyd gafwyd fel ffrwd risialog yng nghalon pob un ohonom tra byddem byw?

Penderfynwyd cychwyn yn llawen, heb gwmwl ar wyneb na chrychni ar ael. A phan gyrhaeddwyd y gwesty, deallwyd fod y cerbyd a'r gyrrwr yn barod, ac mai prin oedd yr amser i gyrraedd glan y môr cyn y byddai'r llong yn ailgychwyn ei thaith; ond ni allai dim ein tarfu, yr oedd rhyw dangnefedd rhyfedd wedi ein meddiannu, a theimlem nad oedd brys yn gweddu mewn urddasoled gartref.

Ond nid oedd y Tylwyth Teg wedi gosod eu bysedd ysgafn-cyfrin ar y gyrrwr na'r mulod, a phrin y cawsom ysgwyd llaw â'n lletywr caredig, a diolch i'r gwasanaethyddion mewn iaith a ddeallent, nad oedd y chwip yn tynnu lluniau yn yr awyr, a'r olwynion bregus yn dechrau chwyrn droi'n beryglus; ond roedd gennym gryn dipyn o ffydd yn yr hen gerbyd erbyn hyn, a phrin yr oedd gennym amser i sylwi ar ein dull o deithio gan brysured oeddem yn ffarwelio â llu o anwyliaid na welem fyth mwy.

Ond wedi cyrraedd pen y rhiw daeth y môr i'r golwg, a chydag un waedd ddychrynedig gwelem ein llong arbennig ni yn araf gychwyn o'i hangorfa, a'r mwg du yn troelli'n gymylau tua'r nen! Yr oeddem wedi goraros ein gwyliau, ac amynedd y cadben wedi dirwyn i'r pen, a ninnau mewn perygl o gael ein gadael yn alltudion tlawd mewn estron fro, canys yr oedd yr oll a feddem o dda'r byd hwn ar y llong oedd yn graddol ymbellhau o dir.

Ar i lawr yr oedd ein llwybr yn dirwyn erbyn hyn, ac yr oedd ein cyffro a'n pryder wedi gyrru'r cerbydwr yn fwy dibris nag erioed; gwaeddai mor ofnadwy nes y dychrynodd y mulod tu hwnt i bob rheolaeth, a charlament ar y goriwaered gyda rhyferthwy corwynt. Sut y cyraeddasom draeth y porth yn fyw sy'n ddirgelwch hyd heddiw, ond cyrraedd wnaethom, a lawr â ni, a'r gyrrwr bron mynd i hedeg yn ei ymdrechion i ddangos y llong i'r cychwyr a rhoi ar ddeall iddynt fod yn *rhaid* ei dal, neu y buasai'r byd ar ben.

Yr oedd chwech o gewri duon wrth eu rhwyfau ar amrantiad, a ninnau bawb yn ei le yng nghanol y clebar a'r gweiddi mwyaf huawdl glywyd erioed.

Roedd yno gannoedd o frodorion ar y traeth erbyn hyn, a phob un yn gweiddi cyfarwyddiadau i'r cychwyr; ond gydag un ergyd ddeheuig o'r lan dyma'r cwch yn cychwyn ar ei daith, a thaith fythgofiadwy oedd hefyd, yn llawn asbri a hwyl, canys gynted y gwelsom y breichiau duon cyhyrog yn dechrau o ddifrif ar y ras, teimlem yn bur hyderus mai ni enillai'r gamp, oblegid yr oeddem yn gallu gwneud *short cuts* gylch y mân ynysoedd roddai i ni fantais ardderchog ar yr agerlong fawr.

Nid oedd fawr gyfle i siarad, canys yr oedd llanc talgryf wedi ei osod ar ben blaen y cwch i chwythu corn! Ac rwy'n berffaith sicr na ddaeth seiniau mor annaearol allan o offeryn cerdd erioed o'r blaen; ond i'r amcan mewn golwg ni ellid dyfeisio dim cymhwysach. Yr oedd mor glywadwy ac mor anghyffredin fel y tynnai sylw pob llong yn y porth; pe buasai *yacht* frenhinol ar ei thaith ni chawsai fwy o sylw: yr oedd miloedd o lygaid yn ein gwylio, a bonllefau o gymeradwyaeth yn dilyn ymdrechion y cychwyr medrus. Bron nad oeddem wedi anghofio yr hyn oedd yn y fantol ym mrwdfydedd y foment; ond tra'r cerddor yn cael munud o wynt, clywid chwibaniad clir yr agerlong Brydeinig. Yr oedd y cadben wedi ein gweld, ac yn rhoi arwydd fod popeth yn dda; ac yna collasom ninnau ein pennau, a gwnaethom gymaint swn â'r un Portiwgead aned erioed.

Ond ni arafai'r cychwyr; gwyddent hwy fod brys, a bod pob munud o aros yn golled i lywydd y llong. Yr oedd y teithwyr wedi crynhoi yn un dyrfa frwd i weld ein dychweliad rhwysgfawr, a'r cadben, er yn ceisio edrych yn sarrug, yn methu cadw'r wên o'i lygaid Celtaidd, ac yn methu peidio canmol camp y cychwyr.

Ni ddywedaf faint dalwyd iddynt am eu gwrhydri, ond haeddent y cyfan, ac ni rwgnachodd neb. Dringem yr ysgol raffau fel geifr – onid oeddem wedi bod yn dringo'r coed drwy'r bore ac felly mewn *trim* campus? Yr oedd cannoedd o ddwylo croesawgar yn estynedig i'n derbyn, a gwên ar wyneb pawb, canys onid oeddem yn rhan o'r teulu?

Buom yn chwifio ar y cychwyr tra modd eu gweld, fel pe buasent hen gyfeillion, a ninnau mewn hiraeth ar eu hôl, a buont yn gyfeillion ardderchog hefyd, a bydd cof hyfryd amdanynt tra pery calonnau i guro.

Yr oedd y cenllif cwestiynau ddilynodd ein dychweliad fel cawod o law taranau, ac yr oedd ein diwyg a chyflwr ein dillad yn destun cywreinrwydd chwilboeth; ond nid oeddem yn barod i ddatguddio cyfrinachau'r Tylwyth Teg i wŷr Philistia, a bob yn damaid blasus y cafodd yr eneidiau cydnaws glywed stori'r goedwig a'i holl fwyniannau.

Tuag Adref

Ymneilltuais yn fuan i'm cell, gan gloi'r drws rhag ymwelwyr. Er mor heini oeddwn yn y dyddiau hynny, ni all unrhyw galon ddyblu ei churiadau am oriau bwygilydd heb i'r corff deimlo'r canlyniadau.

Hyfryd oedd cael bod mewn tawelwch, a chael syllu drwy ffenestr fach y caban ar Corco Vada a mynyddoedd Tijuca heb fod eisiau dweud yr un gair wrth neb, a chau llygaid, nid i gysgu, ond i gnoi cil mewn hyfrydwch ar y melysion gafwyd a meddwl mewn hiraeth hawdded fyddai byw'n syml a phur pe bawn ymhell o sŵn a themtasiynau'r byd.

Ond dywed Emerson[5] yn rhywle mai yng nghanol berw bywyd y megir glewion, ond byddaf yn rhyw ddirgel gredu fod gwreiddiau'r glewder yn nghilfachau'r mynyddoedd, ac mewn bythynnod unig ar lan afonydd tawel: ni wna'r storm ond gwneud i'r derw wreiddio'n ddyfnach.

Oes heb fawr wreiddiau yw ein hoes ni, ac yn byw ar sudd yr hen dderi fu, ond fe dderfydd y nodd bywiol cyn hir ac yna bydd raid dychwel i'r mynyddoedd, ac ailblannu a magu gwreiddiau iach, gonest – dyna pryd y daw'r glewion yn ôl ac y gwawria'r oes aur.

Amser braf gefais yn y caban cul yn gwylio tir Brasil yn graddol ddiflannu, a'r haul yn prysuro tua'r gorllewin, tra'r llong fel gwylan yn lledu ei hesgyll i'r gwynt, ac yn wynebu o ddifrif ar fôr tymhestlog yr arfordir.

Oeri wnaiff yr hin bellach, canys onid yw ein hwyneb tua phegwn y De? Ond tuchan at y gwres wna'r Prydeinwr hyd nes cyrraedd Monte Video, ond bydd plant yr haul yn sgrwtian ymhell cyn hynny; eithr bydd llawer mwy o fywiogrwydd

---

[5] Ralph Waldo Emerson (1803-82), awdur ac athronydd o Americanwr.

ymysg y teithwyr weddill y daith, pawb mewn tymer dda oherwydd fod dydd y glanio yn agosáu; rhai'n mynd adref fel fy hunan, rhai'n mynd i weld hen gyfeillion, a'r dieithriaid yn gwau dyfodol gwyn ar lan yr Afon Arian. Caiff llawer cynllun ei dorri, a chwyd aml gwmwl ar las ffurfafen gobaith, ond ni all dim ein hysbeilio o'r oriau dedwydd gafwyd, ein heiddo ni fyddant fyth, a bydd yr atgof amdanynt yn help i ddymchwel y rhwystrau pan ddeuant.

Ceir llawer o law rhwng Rio a Monte Video, a pheth digon diflas yw hwnnw ar y môr; ac nid rhyw wlith-law fel ag a geir yng Nghymru ydyw, ond dilyw ar raddfa fechan, eithr ceir ysbeidiau o heulwen rhwng pob tywalltiad. Tebyg iawn yw'r cawodydd hyn i blentyn bach yn wylo rhwng pob clap o siwgr: ac yr ydym ninnau yn debyg iawn i blant yn chwarae mig. Ein casbeth yw bod i lawr yng nghrombil y llong, ond mae pob cawod yn ein gyrru strim-stram-strellach pob un i'w nyth; eithr y munud y gwelir yr wyneb mawr siriol yn gwenu fry, byddwn allan fel ewigod, a cheir hwyl fawr ambell waith pan fydd y cawodydd yn aml a'r gwynt yn weddol gryf a'r hen long yn go bethma ar ei phedion.

Ddedwydd amser! Gresyn na ellid anghofio'r byd a'i helbulon yn amlach; byddai'n llygaid yn gliriach i weld drwy niwl bywyd, a'n calonnau yn ddewrach i frwydro. Ychydig iawn o chwarae gwirioneddol sydd yn ein byd yn awr; mae'r plant hyd yn oed yn chwarae wrth reolau, ac mae blynyddoedd plentyndod yn mynd yn llai eu nifer o hyd; ond fe dry y rhod yn y man, a cheir plant bach i brancio fel ŵyn ar y dolau, ac yna daw'r byd yn lanach ac yn bereiddach.

Ceir llawer o gerddoriaeth felys ar ambell fordaith; ymysg rhyw fil o deithwyr daw aml dalent ddisglair i'r amlwg: a chan mai Eidalwyr a Ffrancwyr yw'r mwyafrif, maent bob amser yn barod i wneud a allant i ddedwyddu'r cwmni.

Ond rhyfedd mai yn yr ail ddosbarth y ceir y talentau bron yn ddieithriad. Llenwir y dosbarth cyntaf gan bobl a alwant eu hunain yn *aristocrats*, ac er nad oedd yr un rhagfur rhwng cyntaf ac ail ar fwrdd y llong, ni chymerai'r boneddigesau yn eu gwisgoedd gwychion a'u paent a'u powdwr lawer am groesi'r ffin i fysg y werin gyffredin oedd yn mwynhau eu hunain mor ardderchog.

Mae gennyf atgof byw am un crythor ieuanc o Eidalwr oedd ymysg ein cwmni; nid bob amser y gellid ei ddenu o'r cymylau, rhyw freuddwydio a chlustfeinio am gyfrinion duwies cerdd y byddai'r rhan fwyaf o'i amser, ond ambell noson pan fyddem wedi digwydd cael cyngerdd neilltuol dda, a rhyw Eidalwr wedi ymgolli mewn alaw genedlaethol, a'i lais clir yn gwefreiddio calonnau – yn y distawrwydd ddilynai y gymeradwyaeth frwd, gwelem fysedd y crythor yn dechrau rhedeg hyd y tannau, a'r crwth yn cael ei chodi i'w gorffwysfan, a'r pen du, crych, yn disgyn megis i'w hanwylo, ac i sisial y breuddwydion oedd yn ei enaid, a dyna'r offeryn rhyfedd yn dechrau ateb yn ei hiaith ei hun. Clywem awel ysgafn yn suo drwy frigau'r coed, a'r adar yn canu ar doriad gwawr, a'r ffrydiau yn murmur yn eu gwely graean, ond tra calonnau bron llewygu gan wynfydedd y miwsig, mae seiniau'r crwth yn newid yn sydyn, ddirybudd, a chlywir gwynt y storm yn llefain drwy'r llwyni – debyced ydyw i galon ddynol mewn ing nes mae llawer llygad yn cymylu'n ddisymwth. Bron nas gellir gweld y ffurfafen las yn duo, ond ust! clywch y daran yn rhuo, ac eco'r creigiau'n ateb, a'r glaw yn disgyn yn genllif fel su edyn lawer yn gwibio drwy'r nos. Ond dacw'r crythor yn gweld yr Eidal a'r bwthyn lle y'i magwyd, ac mae'r bysedd celfydd yn dechrau crynu ar y tannau, rheiny'n ateb mewn perffaith gydymdeimlad. Pwy all ddisgrifio hiraethgan yr Eidalwr!

O! na fyddai gan bawb ohonom allu i arllwys hiraeth calon mewn miwsig dwyfolanedig fel hyn, eithr diolch am gael dod i gyffyrddiad ag ambell enaid breintiedig ar lwybrau llychllyd bywyd.

Distawodd y miwsig, llithrodd y crythor allan heb symud y crwth oddi ar ei fynwes – ac roedd hi'n noson lawn lloer, a'r awel yn esmwyth-ysgafn. Ni ddywedai'r cwmni ddim, yr oedd yr Eidalwyr yn wylo fel plant; gwelais un Cymro o Eryri a'i ben ar y bwrdd a'i gorff talsyth yn ysgwyd gan fradychu'r storm oedd yn dirdynnu'r galon.

Ymwasgarodd y cwmni yn raddol, a bu aml ymgom felys rhwng eneidiau cydnaws wedi dwysed profiad. Yr oedd yn noson hyfryd, y gwres llethol wedi cilio, a digon o fin ar yr awel i wneud cerdded yn ôl ac ymlaen ar hyd y dec yn bleserus, a bu llawer ohonom yn cerdded hyd oriau mân y bore, a miwsig y crwth a hiraeth y crythor yn cydgordio'n rhyfedd â'r elfennau.

Bellach mae prysurdeb mawr ar fwrdd y llong gan ein bod o fewn ychydig ddyddiau i Monte Video. I'r trueiniaid sydd yn y trydydd dosbarth bydd pen y daith yn ollyngdod anhraethol. Cyfyng iawn fu eu trigfan, ac mewn anghysur poenus y treuliodd y rhan fwyaf ohonynt y pedair wythnos ddaeth a chymaint mwyniant i eraill. Mae yna o bump i chwe chant ohonynt, llawer o wragedd a phlant bach yn eu mysg, a golwg llwydaidd, hiraethus arnynt; Eidalwyr a Sbaenwyr ydynt y rhan fwyaf, yn ymfudo i Weriniaeth Ariannin. Tlodi sydd wedi eu gyrru'n alltudion o'u gwlad, a nod mawr eu bywyd bellach fydd casglu digon o gyfoeth yn y wlad newydd i'w galluogi i ddychwelyd i'r Eidal i dreulio dyddiau henaint, a chael huno eu hun olaf yn naear yr hen fro.

Byd braf fydd yr hen fyd yma pan fydd pethau wedi cael eu gwastatáu dipyn mwy cydradd – llai o dlodi, a llai o gyfoeth, mwy o gariad a llai o'r hunan, a'r Crist yn arglwydd ar *galonnau* dynion ac nid yn enw ar wefusau.

Eithr wele ni o'r diwedd drwy holl drofeydd y daith wedi cyrraedd i olwg Monte Video, prifddinas Uruguay. Môr tymhestlog iawn sydd o gylch y ddinas yma, ac mae'r llongau mawrion yn gorfod angori ymhell o dir oherwydd prinder dŵr yn y porth, ond er pelled ydyw mae golwg hardd ar y ddinas; mae hi wedi ei hadeiladu yn debyg iawn i Lisbon, ar lethrau mynyddoedd, a rhai o'r tai wedi dringo i'r brig. Ar y chwith wrth hwylio i mewn mae'r Carro, ac ar ei gopa mae'r goleudy deifl ei fflachiadau rhybudd ymhell i'r garw fôr, sydd o gylch yr arfordir. Oddi wrth y mynydd a'r goleudy y cymer y ddinas ei henw, Monte Video. Cyfrifir hi yn un o'r dinasoedd glanaf a mwyaf trefnus yn y De, ac oni bai am y chwyldroadau parhaus sy'n cynhyrfu'r Weriniaeth buasai'n llawer mwy blaenllaw nag ydyw.

Yma y daeth Garibaldi o Frasil ac y gwnaeth Anita ac yntau eu cartref am chwe blynedd; yma y ffurfiwyd yr *Italian Legion* fu wedi hyn yn synnu Ewrop â'u gorchestion, ac y cwhwfanwyd gyntaf y faner ddu gyda llosgfynydd yn ei chanol – arwyddlun o'r Eidal mewn galar caethiwed a thân cysegredig cenedlaetholdeb yn llosgi yn ei mynwes.

Tra bu'r *Italian Legion* a'i harweinydd glew yn gwarchae Uruguay, bu heddwch a llwyddiant mawr drwy'r Weriniaeth. Mae pawb yn gwybod am 'Grys Coch Garibaldi': dyma lle y'i gwisgwyd gyntaf – daeth wedyn yn fyd-enwog.

Mae colofn hardd ar sgwâr y ddinas i goffáu yr Eidalwr dewr roddodd gymaint o'i wasanaeth i bobl estronol o gariad at gyfiawnder a rhyddid.

Mae'n ferw gwyllt ar y llong ers oriau, a *boxes* wrth yr ugeiniau yn bentyrrau ar ei gilydd, a'r teithwyr yn ymwylltio yn eu hymdrech i ddod o hyd i'w heiddo, ac mae'r stemar fach sydd wedi dod i'w 'mofyn yn gwneud sŵn mor aflafar nes atodi llawer at y dryswch.

Mae llawer iawn o'r teithwyr yn ffarwelio yma, ac yn mynd i fyny afon Ariati i ddinas Buenos Aires. Dyma afon yw hon, lle y gellir teithio am ddyddiau heb weld glan!

Mae hanes ffurfiad Gweriniaeth Ariannin yn llawn rhamant a hunanaberthau, ac nid yw ei phrif ddinas ond ail i Baris mewn prydferthwch; dinas wedi ei hadeiladu mewn gardd, neu ardd mewn dinas, anodd gwybod pa un, gan fod y tai a'r blodau a'r glesni yn un tryblith hapus, swynhudol. Rhaid cofio hefyd mai yn gymharol ddiweddar y dechreuwyd datblygu adnoddau'r wlad enfawr, ac mai dim ond yn ei babandod y mae eto. Mae'n gyfoethog y tu hwnt i bob dychymyg, ac nid yw ei thrysorau mewn mwynau a llysieuaeth ond yn dechrau gwawrio ar feddwl y byd. Dyma fydd El Dorado y dyfodol; mae bron bob man arall wedi ei ddihysbyddu, ac mae llygaid y gweledydd yn troi tua'r De.

A phan eir allan i'r wlad o gylch y ddinas, i'r Pampa ddiderfyn lle tyfa'r glaswellt rhonc a'r grawn aeddfed fel tonnau'r môr am gannoedd o filltiroedd yn ddidoriad, ac y gwelir llethrau pob bryn yn wyn gan gnu gwlân y praidd afrifed, ceir rhyw syniad egwan am aruthredd ei chynhyrchion.

Eithr mewn atgof y cefais eu gweld y tro yma, gan mai Penrhyn Horn oedd cyfeiriad ein llong; rhaid oedd gadael hudoliaeth y ddinas wych a thlysni a chyfoeth y Pampa borfaog.

Rhyw aelwyd doredig iawn oedd ein haelwyd y noson gyntaf wedi gadael Monte Video, a bylchau mawr wrth y byrddau cinio, ac aml wyneb ddaethai megis yn rhan o'n bywyd wedi diflannu, byth i ddychwelyd mwy. Rhyw gyfeillgarwch â chysgod ffarwél buan arno yw cyfeillgarwch y môr, ond mae'r aelwyd yn mynd yn gynnes iawn tra pery'n gyfan, gan agosed yw'r cymundeb, ond rhyfedd meddwl gynted y daw'r ymwahanu, ac mor derfynol ydyw pan ddaw, mor anaml yr ailgwrddwn tu yma i'r llen, eithr os byddwn wedi defnyddio'r amser i ledaenu meddyliau glân, aruchel, nid ofer i gyd y cyfarfyddiad.

Yr ydym ni'r Cymry sydd ar y bwrdd yn teimlo'n llawen iawn, canys onid ydym o fewn tridiau i ben ein taith.

Anodd peidio â meddwl am y ddau Gymro cenedlgarol fordwyasant y ffordd yma hanner can mlynedd yn ôl, yn eu hymchwil am ddarn o dir i sefydlu Gwladfa Gymreig, modd y gallai eu cydgenedl hoffent ymfudo o'r hen Famwlad gael lle troed a chartref newydd i dyfu a datblygu ar linellau cenedlaethol.

Yr oedd teithio yr 800 milltir sydd rhwng yr Archentina a Phatagonia yn gryn orchest hanner can mlynedd yn ôl, ac nid oedd ond Darwin a Fitzroy[6] yn gwybod fawr ddim am yr arfordir anial, tymhestlog. Drwy ddyfalbarhad ac ymchwil medrodd y ddau ysbïwr logi cragen o ysgwner, rhyw 25 tunnell, a pherswadio Ianci dibris, honnai wybod y ffordd, i'w hwylio, ond methwyd cael neb ond criw o garcharorion penyd i weithio'r llong. Ac yn y cwmni rhyfedd hwn y cychwynnodd Syr Love Jones-Parry, Madryn, a Lewis Jones ar eu taith gyntaf i Batagonia.

Cyn pen ychydig ddyddiau bu raid rhoi'r Ianci mewn heyrn oherwydd ei fod yn meddwi nes mynd yn gynddeiriog a deallwyd yn fuan fod yna gynllunio brad ymysg y carcharorion, a bod bywyd y ddau Gymro wedi bod yn hongian ar edefyn. Pwy all ddychmygu'r daith ofnadwy honno! Yr ofnau a'r pryderon, y gwylio nos a dydd heb wybod pa funud y byddai cyllell y bradwr yn gwneud ei gwaith; y gwynt croes parhaus, ystormydd creulon yn bygwth gwneud y gragen fechan yn chwilfriw; y bwyd yn rhedeg yn brin, y dŵr yn darfod, a dim arwydd am dir yn unman, dim ond y môr di-lan, a hwnnw'n berwi'n ddigofus, ddiorffwys. Gresyn na fuasai'r ddau Gymro wedi croniclo eu meddyliau yn y dyddiau rhyfedd hynny; ond cadw einioes oedd y frwydr fawr iddynt hwy, a chadw'r llong i nofio, a dyfalu i ba gyfeiriad i'w llywio. Ond ymhen pymtheg niwrnod, pan oedd gobaith bron wedi diffodd ym mhob calon, wele dir a glan, ac er mai llwydaidd ac anial yr olwg arno, mae

---

[6] Y naturiaethwr Charles Darwin (1809-82), awdur *The Origin of Species*, a'r meteorolegwr Robert Fitzroy (1805-65). Ymwelodd y ddau â Phatagonia yn ystod eu taith enwog ar ffwrdd *HMS Beagle*, ac yn ddiweddarach, ym 1839, fe gyhoeddodd Darwin ddyddiadur y fordaith honno, a barodd o 1831 hyd 1836.

fel paradwys i'r gwylwyr pryderus, a llamai'r calonnau Cymreig mewn llawenydd wrth feddwl eu bod wedi llwyddo yn eu hamcan, ac anghofiwyd holl flinderau'r daith.

Da yw cofio, wrth deithio'n foethus ar agerlongau gwych y dyddiau hyn, mai drwy aberthau'r tadau yr ydym ni heddiw'n rhodio'n rhydd mewn llawer ystyr. Pe ysgrifennid y filfed ran o ddioddefiadau *pioneers* pob gwlad a phob mudiad, ni chynhwysai llyfrau'r byd mohonynt.

Rhyw synfyfyrio fel yna yr oeddem y noson gyntaf wedi gadael Monte Video, ac o fewn tridiau i lanio yn yr un Bae ag y glaniodd y llong fach honno hanner can mlynedd yn ôl.

I rywun sy'n caru'r gwynt a'r storm a'r tonnau, caiff dridiau o wynfyd; mae rhyw ias ar yr awel, fel pe'n dod yn unionsyth o'r Pegwn Deheuol, ond mae ynni a bywyd gwefreiddiol ynddi; mae'r meddwl mor fyw a'r corff mor wisgi fel yr aiff y llong yn rhy gyfyng i gynnwys cymaint egni, a da gan bawb fydd gweled bryniau llwydion, dreiniog Porth Madryn, a gobaith am ddaear gadarn, a digon o eangderau i lanw pob dyhead.

Hen fae ardderchog yw Porth Madryn. Daw'r llynges Archentaidd yma i gyd weithiau yn yr haf i ddysgu rhyfela, a bydd sŵn magnelau yn y gwynt, a'r hen greigiau'n clecian ac yn atsain am wythnosau, a thrydan lond yr awyr: a fflach y goleuni trydanol ar ambell hwyrnos Batagonaidd yn teithio ddeugain milltir dros y Peithdir distaw i'r pentrefi bychain Cymreig sy'n nythu ar lan afon Camwy.

Ond mae gan lawer o'n cyd-deithwyr ddeuddeng niwrnod o forio eto, eithr buaswn fodlon iawn mynd gyda hwynt er mwyn cael gweld y mynyddoedd iâ, a chulfor Magellan, a Phenrhyn Horn, a theimlo'r llong yn ysgafn deithio hyd lannau'r Tawelfor, a chael cip ar Valparaiso, prifddinas Chile, a gweld olion y rhyferthwy mawr fu'n ysgwyd seiliau'r ddinas hardd ac yn gwneud cartrefi clud yn garneddi, gan symud bryniau ac afonydd a chorddi'r môr i wallgofrwydd, a gweld yr Andes o'u huchelderau gwyn yn edrych yn dosturiol ar y drychineb alaethus, a dotio at ddewrder a ffydd y trigolion yn ailadeiladu eu dinas, gan ei gwneud yn harddach ac yn gadarnach nag erioed.

Pwy a ŵyr na chaf weld y pethau hyn oll ryw ddydd? Plentyn y môr wyf i, ac ar y don y mae fy nghartref a'm calon; os oes gwynfydau'n ôl, addawaf rannu â'm cyfoedion yng Nghymru gu, a dweud fy stori mewn Cymraeg syml, dilediaith.

Ond mae murmur yr hen Gamwy yn galw'n awr, a dacw'r trên yn dod ar draws y gwastadeddau dreiniog, a'r defaid gwylltion a'r estrysiaid yn synnu at gymaint sŵn a mwg mewn Paith mor lân a distaw.

Rhaid ffarwelio â chyfeillion Chile, a dymuno Duw'n rhwydd iddynt weddill eu taith, a disgyn i'r agerlong fechan sy'n disgwyl amdanom i'n cludo'n ddiogel i dir.

Bu'r hen fôr yn dirion iawn wrthym; cawsom oriau dedwydd, fythgofiadwy ar ei frigwyn donnau; dangosodd inni ei holl fawredd mewn storm a hindda. Caraf ef tra byddaf byw.

Bellach ffarwél am ennyd; a thithau, ddarllenydd,

Bydd wych, bydd ddoeth, bydd dda,
Mae sŵn y môr yn swyno'm bron,
Ta ta! ta ta! ta ta!

GEIRFA

agen, *bwlch, hollt, adwy*

anhywaith, *anesmwyth*

anurddo, *andwyo, anffurfio*

blewenna, *pori ambell i laswelltyn yma a thraw*

brochi, *ffromi*

brochus, *llawn cynnwrf*

cadben, *capten*

caddugol, *tywyll*

capan, *carreg neu ddarn o bren uwchben drws*

cenhadu, *caniatáu, cael caniatâd*

cethin, *gwyllt, ffyrnig*

côb, *côt, mantell*

cun, *aruchel, prydferth*

cunnog, *bwced, stên*

cyfwng, *cyfnod*

cylchynion, *amgylchiadau*

cyniwair, *mynychu*

defion, *arferion*

dibris, *esgeulus, diofal*

digofus, *dicllon, anfodlon*

diclonedd, *dicter*

dillyn, *hardd*

diwinydd, *dewin*

dons, *arglwyddi* (o'r *don* Sbaeneg)

dyrchu, *codi*

edyn, *adenydd*

entrych, *ffurfafen, wybren*

eurafalau, *orennau*

genau-goeg, *madfall*

gor-doi, *gorchuddio*

gwawl, *golau*

gwisgi, *sionc, heini*

gwyl, *gwylaidd*

llechres, *cofrestr, catalog*

llynclyn, *llyn tro, cors*

mall, *dinistr*

menni, *wagenni*

nennau, *toeau*

nodd, *sudd*

pedion, *traed*

pelo, *palu*

rhagfur, *gwrthglawdd, amddiffynfa*

rhonc, *toreithog, trwchus, bras*

sbarblin, *gair i ddifrïo pobl a ystyrir yn fach neu'n gul o ran gwelediad, gallu neu agwedd*

sgrwtian, *ysgrytian, crynu*

soflieir, *'quails'*

taclu, *paratoi*

tringar, *medrus, tyner*

tryblith, *anhrefn, trallod, blinder*

tryfrith, *yn haid, yn frith*
trystfawr, *swnllyd*
tugel, *coelbren*
udganu, *oernadu, ubain*
wchw, *och!*
ymylwe, *border*
yrhawg, *am amser hir eto*
ysgatfydd, *efallai,*
    hwyrach
ysgrublyn, *anifail*
ysgwner, *'schooner', math*
    o long hwyliau
ysig, *wedi cleisio,*
    clwyfedig
ysol, *yn llosgi, yn llyncu*

Y llong Annie Morgan, *Puerto de la Boca, Chubut, yn 1898.*